Good Luck!

Seth

2020.2

Tribes

트라이브즈

새로운 부족의 탄생이
당신에게 성공의 기회가 되는 이유

Tribes
트라이브즈

세스 고딘 지음

유하늘 옮김

시목 始木

이 책을 읽는 한국 독자들에게

나는 그동안 많은 책으로 여러 나라의 독자들을 만나왔다. 내가 쓴 책들이 모두 나에게는 자식처럼 소중하지만, 특히《트라이브즈》는 더욱 그러하다.

2008년에 쓴 책이 12년이 지나 한국어판으로 새 옷을 입었다. 참으로 기쁘다.

이 책은 당시에 시대를 앞지르는 면이 있었다. 따라서 이 책이 말하고자 하는 바는 오히려 현재에 더욱 유효하다. 특히 한국에서 가장 유효하다고 생각한다.

내가 아는 한국은 현재 세계에서 가장 급변하는 국가이며 각종 분야에서 트렌드를 이끌고 있다. 세계 시장을 이끄는 기업들이 속속 등장했고 세계인이 주목하는 지도자도 나타났다. 이러한 때에 출간되는 한국어판《트라이브즈》는 아주 시의적절하다고 본다.

나는 당신이 이 책을 읽고 그저 감탄만 하지 않았으면 좋겠다.

나는 당신이 영감을 얻었으면 한다.

당신이 바로 이 책에서 말하는 '부족의 리더'가 될 수 있다는 영감 말이다.

'지금'이 중요하다.

'이전'도 '나중'도 의미 없다.

바로 지금, 이 책을 만난 당신은 시장과 트렌드를 이끄는 부족의 리더가 될 자격이 충분하다.

마음만 먹고, 행동으로 옮기면 된다.

당신의 앞날을 축복하며…

2020년 2월

세스 고딘 Seth Godin

차례

세상을 바꾸는
부족의 리더

조엘 스폴스키Joel Spolsky는 세상을 바꿨다. 수많은 프로그래머들과 소프트웨어 회사들 그리고 이들과 함께 일하는 사람들의 세상을. 그가 바꾸고 있는 세상이 이 책을 읽는 당신과 상관없어 보일지라도, 우리 모두는 그가 세상을 바꾸는 방식에 주목해야 한다.

조엘은 마이크로소프트와 바이어컴Viacom* 등에서 10여 년간 소프트웨어 개발자로 일하다가 2000년에 직접 회사를 차리기로 결심하고 뉴욕에 정착해 작은 소프트웨어 회사를 창업했다.

그가 보통의 개발자들과 달리 가장 열정적으로 고민하고 실

---

* 파라마운트 픽처스, 음악 채널 MTV 등을 산하에 둔 미국 미디어 그룹.

천한 부분은 최신 개발 방법론이나 도구가 아닌 '회사를 운영하는 방식'이었다. 그는 블로그와 책과 컨퍼런스를 통해 많은 사람들과 꾸준히 소통했다. 그 과정을 통해 그는 유능한 프로그래머를 찾아 고용하는 방법, 그리고 그들을 관리하는 방식에 대한 사람들의 사고방식을 바꿨다. 일련의 활동을 통해 조엘은 그를 추종하는 사람들로 이루어진 거대하고 영향력 있는 부족을 만들었다.

부족tribe은 하나의 아이디어로 연결된 집단이다.

부족의 구성원들은 리더와 연결되어 있고, 동시에 서로가 서로에게 연결되어 있다.

수백만 년 동안 우리 인간은 하나 혹은 그 이상의 부족에 속해 생존해왔다.

하나의 그룹이 부족이 되기 위해서는 두 가지의 필수 요건이 필요하다. 공통의 관심사와 소통 방법이다.

조엘은 그가 이끄는 부족의 구성원들이 이 두 가지 모두를 충족할 수 있도록 했다. 우선 그는 소프트웨어 개발자들이 서로 질문하고 답변하는 온라인 커뮤니티를 운영했는데 여기에는 세계 최고의 프로그래머들이 자발적으로 모여들었다. 또한 그는 프로그래머들 간의 더 나은 소통을 위해 '조엘 테스트'를 개발했는데,

이는 소프트웨어 개발팀의 수준을 평가하는 테스트로서 회사와 팀이 얼마나 잘 굴러가고 있는지 측정하는 척도로 널리 사용되고 있다. 현재 개발자들 사이에서 그는 가장 중요한 인물 중 하나로, 그가 쓴 책인 《조엘 온 소프트웨어 Joel on Software》는 모든 프로그래머들의 필독서로 꼽힌다.

부족은 리더십을 필요로 한다. 한 사람이 부족을 이끌기도 하고, 때로는 더 많은 사람이 리더십을 발휘한다. 사람들은 연결과 성장, 새로운 아이디어, 혁신, 변화를 원한다. 조엘의 리더십은 변화를 이끌었다. 그는 자신을 따르는 부족에게 개발자로서 일하는 방식을 극적으로 바꿀 수 있는 지렛대를 제공했다. 그 과정에서 조엘은 자신의 열정을 발견했고 회사도 성장시켰다.

리더 없이 부족은 존재할 수 없으며, 부족 없는 리더 또한 존재할 수 없다.

부족의 진정한 위력

1960년대 말, 뮤지션 제리 가르시아Jerry Garcia와 그가 이끄는 밴드 '그레이트풀 데드Grateful Dead'는 음악 산업을 획기적으로 변화시킨 몇 가지 결정을 내렸다. 관객들을 상대로 무료 공연을 하기로 한 것이다. 이들은 무료 공연을 포함하여 연간 100회가 넘는 공연을 진행했다. 또한 다른 밴드와는 다르게 팬들이 공연 실황을 녹화하는 것까지 허용했다. 일반적인 비즈니스 모델을 고려하면 상상이 가지 않는 결정이다.

어떻게 되었을까? 팬들은 이들의 열렬한 추종자가 되었고 자발적으로 입소문을 내기 시작했다. 이는 밴드를 성공으로 이끌었다. 밴드의 성공은 음반 판매와 그 수익금의 결과가 아니었다. 그들의 앨범 중 단 1장만이 빌보드 차트 40위 안에 들었다. 그러나 그들은 자신들을 추종하는 부족을 만들어냈고 그 결과 활동기 동안 10억 달러 이상의 수익을 올렸다.

당신은 음악 비즈니스에서 일하고 있지 않을 수도 있고 그레이트풀 데드의 콘서트에 가본 적이 없을 수도 있다. 하지만 그레이트풀 데드가 만들어낸 영향력이 당신이 종사하는 산업을 포함한 거의 모든 분야에 지대한 영향을 끼친 것은 인정해야 한다. 그레이트풀 데드는 부족이 작동하는 방식을 확실하게 보여주었다.

인간이라면 누구나 부족에 들어가고 싶어 한다. 인간의 역사에서 가장 강력하게 작동했던 생존 메커니즘이 바로 부족에 소속되어 부족원들끼리 서로 도우며 살아가는 것이었기 때문에, 마음이 맞는 이들끼리 부족을 이루고자 하는 욕구는 일종의 본능이다. 또한 리더에게 이끌리고, 소속감에 기쁨을 느끼며, 새로운 것에 대한 흥분과 설렘을 거부하기 어려운 것 역시 본능이다.

그레이트풀 데드의 한 부족원이 다른 부족원에게 "2-14-70."이라고 말한다고 가정하자. 다른 사람들에게는 이것이 풀기 어려운 암호처럼 들리겠지만, 부족원들은 그것이 무엇을 뜻하는지 충분히 알 수 있다.* 그 외에도 부족원들끼리 나누는 미소와 포옹, 악수는 부족의 정체성을 강화시킨다. 부족은 진정한 나를 알고 이해하는 데 있어 중요한 부분을 차지한다.

사람들은 단지 한 부족에만 소속되는 데서 만족하지 않고 되도록 많은 부족에 속하기를 원한다. 리더가 적절한 도구를 활용해 더 쉽게 부족에 합류할 수 있도록 돕는다면, 사람들은 계속해서 부족에 합류하려 할 것이다.

부족은 우리의 삶을 더 풍요롭게 만든다. 그리고 부족을 이끈다는 것은 최고의 삶을 산다는 뜻이다.

---

* 그레이트풀 데드의 1970년 2월 14일 공연을 칭한다.

사람들은 당신을 필요로 한다

국제구호활동가인 재클린 노보그라츠^{Jacqueline Novogratz} 또한 세상을 변화시키는 데 큰 공헌을 하는 사람이다. 그녀는 자신의 지역사회뿐만 아니라 20여 개 나라의 사람들에게 구호활동에 참여하도록 호소하고 있다.

2001년에 재클린은 단순한 구호사업과 영리만을 추구하는 사기업의 중간 형태인 비영리 글로벌 벤처 캐피털 펀드인 '어큐먼펀드^{Acumen Fund}'를 설립하여 빈곤층에 물자와 서비스를 공급하는 기업을 발굴하고 투자하는 일에 뛰어들었다. 재클린은 특히 개발도상국의 기업가들에게 집중했다. 이들이 사람들을 돕고 지역사회에 공헌하는 사회적 기업을 세우고 또 실질적인 성공을 거둘 수 있도록 경영기법과 노하우를 전수했다. 이로 인해 개발도상국에 깨끗한 물과 구급차, 모기장, 돋보기 등을 제공하는 회사들이 생기기 시작했다.

그녀의 방식은 단순히 부자가 가난한 사람들을 돕는 형식에서 벗어나 지속적으로 실현 가능한 것이었다. 어큐먼펀드의 지원을 받는 회사들은 후원에 의존하는 대신 이익금을 회사의 재원으로 사용한다. 그녀는 구호활동의 성격 자체를 변화시켰고, 이는 그녀의 지역사회를 뛰어넘어 전 세계 사람들의 도전 의식을 불러일으켰다. 직원, 사업가, 그리고 후원자들과 지지자들로 이루어진 그녀의 거대한 글로벌 부족은 재클린의 리더십과 비전이 자신에게 영감을 주고 동기를 부여한다고 믿는다.

인터넷이 발달하기 전에는 지리학이 중요했다. 동네 주민들, 새크라멘토의 자동차 모형 애호가들 모임, 스프링필드의 민주당원들과 같이 하나의 부족은 지역 단위로 만들어졌다. 한편 기업이나 종교 단체 혹은 비영리 단체 등 여러 조직들은 자신들의 사무실이나 시장에서만 부족원을 찾아 헤맸고 그 결과 항상 직원, 고객 혹은 특정 교구의 주민들로만 이루어진 부족을 만들어왔다.

그러나 인터넷이 발달한 오늘날에는 부족을 이루고 성장시키는 데 있어서 지리학이 그다지 중요하지 않게 되었다. 이것은 요즘의 부족들이 더 커지고 더 중요해졌다는 것을 의미한다. 또한 크고 영향력 있는 부족, 작은 부족, 수직적인 부족, 수평적인 부족, 그리고 이전에는 결코 존재하지 않았을 형태의 부족 등 셀 수 없이 많은 부족들이 생겨나고 있다는 것을 의미한다. 함께 일하는 부족, 여행하는 부족, 소비하는 부족, 투표하는 부족, 토론하는 부족, 목표를 위해 투쟁하는 부족, 부족원 모두가 서로를 빠짐없이 아는 부족 등… CIA의 전문가 그룹도 하나의 부족이고 미국시민자유연맹ACLO: American Civil Liberties Union의 봉사자들도 하나의 부족이다.

또한 오늘날에는 부족을 이끌 수 있는 새로운 도구들이 폭발적으로 증가하고 있다. 이메일, 페이스북^{Facebook}, 닝^{Ning}, 밋업 ^{Meetup}, 트위터^{Twitter} 등의 SNS와 스퀴두^{Squidoo}, 베이스캠프 ^{Basecamp}, 크레이그스리스트^{Cragslist} 등의 특화된 웹사이트가 그 예다. 한 그룹을 조정하고 연결하는 방법이 말 그대로 수천 가지 가 생겨났다. 한 세대 전만 해도 존재하지도 않았던 방법들이다.

그러나 만약 당신이 리더가 되기로 결정하지 않는다면 이 모 든 것은 쓸모가 없다. 만약 당신의 리더십이 제대로 발휘되지 않 고, 부족에 전념하지 않고, 제자리에서 안주하면 모든 것이 허사 로 돌아간다.

나는 바로 당신을 위해 수많은 종류의 부족과 새로운 도구들 을 이야기하고 있다. 시장은 당신을 필요로 한다. 시장은 당신 이 자신들을 이끌어가기를, 그리고 리더십을 발휘하기를 간절히 바라고 있다. 그리고 새로운 도구가 바로 코앞에서 당신을 기다 리고 있다. 결심하기만 하면 된다. 당신이 비전과 열정만 갖추면 모든 것은 완성된다.

변화를 기다리는 사람들

어떠한 부족은 폐쇄적이다. 그들은 결코 변화를 바라지 않는다. 현재 상황을 유지시키는 권력과 질서에 의문을 품는 부족원은 추방당한다. 큰 비영리 단체들과 작은 동호회들 그리고 상황이 좋지 않은 회사들은 폐쇄적인 부족일 가능성이 높다. 나는 그러한 부족에는 큰 관심이 없다. 그들은 가치를 별로 창출하지 못하고 다소 지루하다. 하지만 이러한 부족의 사람들도 사실 활기찬 변화가 생기기를 기다리며 몇몇은 완전히 바뀌기를 원한다.

변화를 위한 조직적인 움직임은 부족원들을 흥분시킨다. 서로 긴밀하게 연결된 다수의 사람들이 공동의 목표를 가지고 더 나은 무엇인가를 추구하는 건 신나는 일이다. 인터넷을 기반으로 한 새로운 도구들을 사용하면 그 어느 때보다도 조직적인 운동을 더 활발하게 일으키고, 일을 더 많이 성사시키고 잘 마무리할 수 있다.

여기서 필요한 것은 리더십뿐이다.

인터넷의 발달과 부족

인터넷이 발달하기 전에는 부족을 만들고 이끄는 것이 쉽지 않았다. 입소문을 내거나 행동을 조직화하거나 조직을 성장시키는 것도 어려운 일이었다. 그러나 오늘날의 즉각적인 소통은 많은 것을 깔끔하게 해결해준다. 버락 오바마Barack Obama는 인터넷 모금으로 한 달 만에 5000만 달러를 후원받았다. 트위터, 블로그, 온라인 영상 서비스(유튜브 등) 그리고 수많은 다른 기술들로 인해, 오늘날 부족에 속한다는 것은 확연히 다른 완전히 새로운 차원을 맞이하게 되었다. 이 새로운 기술들은 부족원들을 연결하고 변화를 위한 움직임을 확장하기 위해 고안되었다.

이 책에는 인터넷을 기반으로 한 예시를 많이 들었다. 각 부족들이 더 효과적인 활동을 위해 새로운 도구들을 적절하게 사용하고 있다는 점에 주목하면 좋겠다.

그러나 여기서 명심해야 할 것이 있다. 인터넷은 어디까지나 부족을 만들고 키우는 데 사용하는 하나의 도구일 뿐이다.

부족의 진정한 힘은 인터넷이 아닌 사람에게서 나온다. 당신이 부족을 이끌기 위해 필요한 것은 키보드가 아니라 일을 성사시키고자 하는 욕구다.

새로운 시대의 리더십은 간단명료하다. 만약 단순히 리더가 되기를 원하는 것을 넘어서 반드시 리더가 되고자 하는 욕구가 있다면, 리더가 될 수 있다. 그 어느 때보다도 쉽다! 사람들은 리더인 당신을 절실히 필요로 할 것이다.

그런데 만약 부족을 이끌고자 하는 욕구가 없다면 어떻게 해야 할까? 일단 절망하지 말라고 하고 싶다. 언제나 반드시 앞장설 필요는 없으며 때로는 다른 누군가가 당신의 길을 안내하도록 하는 것도 나쁘지 않다.

만약 지금이 적절한 순간이 아니라고 판단했거나 꼭 자신이 이끌어야 할 합당한 이유를 찾지 못했다면 잠시 이끌기를 보류하라. 그리고 리더와 리더십이 무엇인지 다시 고찰해보자. 진정한 리더십을 갖춘다면 '내가 할 수 있는 범위 안에서만' 부족을 이끌려는 자기중심적인 욕구를 물리칠 수 있을 것이다.

열정을 바탕으로
차이를 만들어라

웹캐스트 '와인 라이브러리 TV Wine Library TV'를 운영하며 '뉴미디어 시대의 와인 구루'라 불린 게리 베이너척 Gary Vaynerchuk에게는 열성적으로 그를 따르는 수많은 부족원이 있다. 와인을 좋아하는 전 세계 수백만의 사람들은 게리가 만든 채널을 통해 와인에 대한 자신들의 애정과 열의를 나누고 보여준다. 게리는 그들에게 새로운 와인을 소개하고 여러 종류의 와인을 더욱 잘 이해하도록 도왔다.

그러나 그는 이들을 상대로 광고를 하지 않고 그들을 관리하려 들지도 않았다. 그는 다만 그의 와인 부족을 이끌 뿐이다. 그는 와인에 대한 지식을 공유함으로써 사람들이 와인에 쉽게 접근할 수 있도록 하기 위해 이 모든 일을 했다. 상품 판매나 마케팅과는 큰 상관이 없었다. 그는 그 어떤 것도 강요하지 않았다. 다만 이끌 뿐이었다.

이전에도 사람들은 와인에 대해 글을 쓰고 이야기를 했다. 정보를 얻는 것도 결코 어렵지 않았다. 그럼에도 게리가 성공한 것은 그가 자신의 열정을 알리고, 사람들을 연결해주고, 변화를 창조하기 위해 새로운 매체를 활용하고 새로운 방법을 사용했기 때문이다.

부족 안의 부족

여성 기업인들 중 미치 매슈스Mich Mathews에 대해 알고 있는가? 1999년 빌 게이츠Bill Gates와 스티브 발머Steve Ballmer는 그녀를 마이크로소프트 마케팅 그룹Microsoft's Central Marketing Group의 수석 부사장에 임명했다. 이후 10년이 넘는 기간 동안 그녀는 마이크로소프트의 마케팅을 총괄했다.

그러나 당신은 미치에 대해 들어본 적이 없을 것이다. 그녀는 미디어에 자주 노출되는 유명인사가 아닐뿐더러 외향적인 성격도 아니다. 그럼에도 불구하고 그녀는 마이크로소프트의 마케팅을 기획하고 실행하는 수많은 직원들을 이끌었다. 미치를 존경하고 그녀의 지시를 따르는 하나의 부족이 만들어진 것이다. 기업이라는 거대한 부족 안의 부족, 즉 마케팅 그룹 부족원들이 그녀에게 보이는 충성스러운 행동은 그녀가 리더로서 어렵게 성취한 특권이자 소중한 책무다.

나는 한 부족을 이끌기로 결심한 사람들을 위해 이 책을 썼다. 그리고 당신의 안팎은 거대한 가능성으로 둘러싸여 있다. 당신이 어떤 상황에 처해 있든 상관없이 당신만의 부족을 만들 수 있다는 뜻이다.

내가 한번 해볼까?

쉽게 말해서 현재 인간이 사는 모든 곳에는 부족이 존재한다. 조직의 내·외부, 공공기관과 민간기업, 비영리 단체, 학교 교실 등을 막론한다. 이러한 부족들의 구성원들은 리더가 나타나기를 갈망하고 있다. 당신이 부족을 찾아내거나 만들고 이끌 절호의 기회인 것이다. 이런 상황에서 "내가 할 수 있을까?"라는 질문은 더는 필요하지 않다. 지금 필요한 질문은 바로 이것이다.

"내가 한번 해볼까?"

오랫동안 나는 '모든 사람이 마케터'라는 주제로 글을 써왔다. 새로운 미디어 채널이 폭발적으로 증가하고 조직 내의 개인들이 활약할 수 있는 여지가 늘어나면서 모든 사람이 마케팅에 영향을 끼칠 수 있는 힘을 가지게 되었다.

나는 그보다 더 새로운 것을 말하기 위해 이 책을 썼다. 모든 이는 단순한 마케터가 아니다. 모든 사람은 이제 리더이다. 부족, 친밀한 그룹, 관심사로 묶인 집단이 폭발적으로 증가했다. 이는 변화를 원하는 사람은 누구나 변화를 만들 수 있음을 의미한다.

리더 없이는 추종자도 없다.

당신은 리더이다.

사람들에겐 당신이 필요하다.

이단자가 되어
변화를 이끌어라

부족이란 믿음, 즉 아이디어와 커뮤니티에 대한 믿음이다. 부족은 리더와 다른 구성원들에 대한 믿음과 존중, 존경에 기반한다. 믿음은 훌륭한 전략이다.

그런데 당신은 당신의 일이 가치 있다고 믿으며 하고 있는가? 아니면 그냥 하고 있는가?

다음의 세 가지 일은 거의 동시에 일어났고 그로 인해 모두 같은 결과가 나타났다. 물론 일시적으로는 불편했지만, 궁극적으로는 경이로운 결과를 낳았다.

1. 많은 사람들이 월급쟁이로 살며 해고당할까 두려움에 떠는 것보다 자신이 가치 있다고 믿는 일을 하는 것이 훨씬 더 만족스럽다는 사실을 깨닫기 시작했다.
2. 많은 조직은 상품과 서비스를 생산하는 공장 중심 모델이 예전만큼 수익을 창출하지 못한다는 사실을 발견했다.
3. 많은 소비자들이 공장에서 찍어내지 않은, 색다르고 개성 있는 물건들을 사는 데 돈을 쓰기로 결정했다. 그리고 기성의 아이디어를 수용하는 데 시간을 낭비하는 대신 패션, 이야기, 가치 그리고 그들이 믿는 것에 시간을 쓰기로 결정했다.

자, 이제 다시 생각해보자. 우리는 그 어느 때보다도 기회로 가득한 세상에서 살고 있다. 가치 있는 일을 하고자 하는 욕망이 있다면, 일을 성사시킬 수 있는 지렛대를 구할 수 있다.

세상에는 당신을 맞이할 시장이 널려 있다. 이 시장들은 당신에게 놀라운 존재, 즉 리더가 되어달라고 간청하고 있다. 하지만 그럼에도 불구하고 많은 이들이 꼼짝 못한 채 붙들려 있다.

낡은 규칙에 붙들려 있다.

변화를 피하는 걸 넘어 변화에 적극적으로 맞서는 산업에 붙들려 있다.

상사에 대한 두려움에 붙들려 있다.

곤경에 빠지기 싫어하는 습성에 붙들려 있다.

가치 있다고 느끼는 일을 하는 대신 공장에서 일하는 게 낫다는 믿음에 붙들려 있다.

무엇보다도, 리더처럼 행동하는 대신 매니저나 직원처럼 행동하는 습관에 붙들려 있다.

아이러니하게도 이 모든 두려움이 한때는 유용했다. 변화는 위험의 첫 번째 신호다. 변화에 대한 두려움은 대부분의 생명체에 내장된 본능이다. 규모가 큰 공장에서 변화에 대한 두려움은 능률을 높이는 데 쓸모가 있다.

하지만 오늘날 두려움은 우리의 적이다. 두려움은 우리의 길을 막아서는 장애물이다.

AOL°이나 시어스°°에 취직하거나 혹은 모기지 중개업자로 일한다고 상상해보자, 얼마간은 안정적으로 일할 수 있겠지만 일터가 사라지면? 매우 곤란해질 것이다. 당신은 또 다른 공장을 찾아 나서야 하고 운 좋게 다른 공장에 취직을 한다 쳐도 또 공장이 망할지 모른다는 두려움에 떨며 일해야 한다. 이 짓을 평생 반복하고 싶은가?

"당신의 하루는 어땠는가?" 이 질문은 보기보다 훨씬 중요하다. 자신의 일을 좋아하는 사람들은 그 일을 가장 잘하고 있으며 이를 통해 세상에 엄청난 영향을 끼친다. 이들은 세상을 바라보는 방식을 바꾸며 나아가 세상을 바꾸기도 한다. 이런 사람들을 우리는 이단자heretic라 부른다. 이단자들은 공고한 질서에 도전함으로써 한 사람이 얼마나 어마어마한 변화를 만들어낼 수 있는지 보여준다.

애플의 최고디자인책임자인 조너선 아이브Jonathan Ive는 자신

• 미국에 있는 세계 최대의 인터넷 서비스 회사.

•• 미국의 유통업체. 한때 세계 최대의 소매업체였으나 경영난으로 2018년 파산보호를 신청했다.

의 일을 즐기는 동시에 변화를 주도했다. 그는 디자인팀을 이끌며 매킨토시 부족*에게 그들이 사랑하는 애플 제품에 대한 아이디어를 제공했다. 단순함에서 나오는 궁극의 정교함, 그리고 사용자의 편의를 극도로 추구하는 디자인은 매킨토시 부족이 열광하기에 충분했다.**

개인 민주주의 포럼Personal Democracy Forum의 공동 설립자인 정치 운동가 미카 시프리Micah Sifry 역시 열정적으로 자신의 일을 즐기는 사람이다. 그는 수많은 정치 단체, 비영리 단체 및 미디어 단체가 험난한 정치 세계에서 성과를 거둘 수 있는 방법을 연구하도록 지원한다. 그는 정치에 대한 사람들의 생각을 근본적으로 변화시켰고 수많은 사람들을 자신의 부족원으로 만들었다. 그 결과 그는 정치적으로 중요해졌고, 더욱 많은 일을 할 수 있게 되었다.

이들은 이단자들이다. 이단자들은 새로운 리더들이다. 그들은 현재 상황과 질서에 도전하고 부족을 이끌고 조직적 운동을 전개한다.

이제 시장은 이단자들을 포용할 뿐만 아니라 그들에게

---

* 맥, 아이폰 등 애플을 사용하는 부족에게 작가가 붙인 이름.
** 2019년 그는 애플을 떠나 자신의 벤처 회사 러브프롬으로 적을 옮겼다. 이 회사를 통해 애플의 디자인 일을 계속할 수도 있다고 예상된다.

결과로써 보상한다. 규칙을 따르는 것보다 새로운 규칙을 만드는 게 더 이익을 더 많이 창출하고, 생산적이고, 강력하며, 무엇보다도 재미있다.

이러한 변화는 당신이 생각하는 것보다 더 클 것이다. 이단자들과 말썽꾸러기들 그리고 변화를 주도하는 사람들은 이제 골칫거리가 아니라 성공의 열쇠다. 지금은 그 어느 때보다도 한 사람 한 사람이 더 큰 영향력을 가질 수 있는 시대다. 부족을 꾸리면 그 영향력들이 당신에게 모일 것이다. 나는 당신이 부족이 가져다줄 새로운 영향력의 파급효과를 빨리 알아차렸으면 한다. 수익성이 가장 높은 길이 가장 믿음직하고, 가장 쉽고, 가장 즐거운 길임을 알아야 한다. 어쩌면 내가 당신을, 이단자가 되는 길로 떠밀어줄 수도 있다.

왜 지금 여기서 부족을
이끌어야 할까?

이 책에는 거부하기 힘든 몇 가지 큰 아이디어를 엮어놓았다.

모든 곳에서 부족이 번식하고 있기 때문에 리더가 턱없이 부족하다. 사람들은 당신을 필요로 한다.

구체적인 논지는 이러하다.

1. 보스뿐만 아니라 조직의 모든 사람은 리더가 될 수 있다.

2. 오늘날의 조직 구조는 어느 때보다도 쉽게 바뀔 수 있고, 개개인이 이전보다 더 많은 영향력을 행사할 수 있다.

3. 시장은 놀라운 상품과 서비스를 만들어내고 변화를 이끄는 조직과 개인에게 반드시 보상한다.

4. 부족을 이끄는 일은 매력적이고, 스릴이 넘치고, 수익을 창출하며, 재미있다.

5. 무엇보다도, 부족원들은 리더가 나타나 자신들을 서로 연결해주고 이끌어주기를 기다리고 있다. 그들은 동료 직원일 수도 있고, 혹은 고객, 투자자, 신봉자, 혹은 독자일 수도 있다. 중요한 사실은 당신을 기다리고 있다는 것이다!

리더십을 갖추고 부족을 이끄는 건 어려운 일이 아니지만 당신은 이를 수년간 피해왔다. 나는 당신이 거대한 변화를 만드는 데에 필요한 모든 기술을 이미 가지고 있다는 것을 알아차렸으면 한다. 가장 좋은 소식은 당신이 알맞은 직장에 취직하거나 팀장으로 승진할 때까지 기다릴 필요가 없다는 것이다. 당신은 지금 당장 시작할 수 있다!

리더는 경영자가 아니다

1950년대 미국에서 선풍적인 인기를 끌었던 〈왈가닥 루시 I Love Lucy〉라는 시트콤이 있다. 주인공 루시와 에델은 사탕공장의 노동자다. 생산 라인을 타고 사탕이 감당할 수 없을 만큼 빨리 쏟아져 나오자 그 둘은 당황해서 사탕을 입에 쑤셔 넣고 말았다. 그 공장은 경영에 문제가 있었다.

경영이란 어떠한 일을 해내기 위해 주어진 자원을 알맞은 곳에 사용하는 것을 말한다. 버거킹은 매니저들을 고용한다. 매니저들은 고객에게 무엇을 전달해야 하는지 정확히 알고 있으며, 최대한 낮은 비용으로 그 일을 하도록 요구받는다. 매니저들의 일은 기존의 프로세스를 관리하고 외부 자극에 대응하는 것이다. 그리고 이 모든 과정을 되도록 더 빨리, 더 낮은 원가로 실행하기 위해 분투한다.

이끈다는 것은 경영과 다르다. 이끈다는 것은, 믿음을 바꾸고 변화를 만들어내는 일이다. 이 일은 리더십을 발휘하는 리더만이 할 수 있다.

유의어 사전을 보면 리더십의 가장 좋은 동의어는 경영이라고 나온다. 지금까지는 그렇게 쓰였을지 모른다. 그러나 이제는 그렇지 않다. 무언가를 이루어내는 조직적인 움직임에는 반드시 이를 이끄는 리더가 있다.

매니저에게는 직원들이 있고, 리더에게는 따르는 자들이 있다.

매니저는 상품을 만들고, 리더는 변화를 만든다.

변화! 그것은 두려움의 대상이다. 리더가 될 수 있는 역량을 갖춘 많은 사람들이 변화를 미래에 대한 약속이 아니라 위협으로 받아들이곤 한다. 매우 안타까운 일이다. 미래는 리더들의 것이기 때문이다.

제왕의 몰락

사실 안정된 세계에서 왕이 되면 좋은 일이다. 특혜는 많지만 귀찮은 일은 적기 때문이다.

왕들은 항상 안정을 원했다. 그것이 왕의 자리를 유지하는 가장 좋은 길이기 때문이다. 왕들은 전통적으로 많은 물자가 공급되는 궁궐 안에 살았고, 가장 큰 관심사는 기득권을 유지하는 것이었다.

군주제는 사람들이 세상을 보는 방식에 큰 영향을 끼쳤다. 또한 사람들에게 권력과 영향력과 일을 완수하는 방법을 가르쳤다. 군주제의 방식은 지역을 기반으로 부족을 끌어 모으고 권력으로 사람들을 다스리는 것이었다.

후세 사람들은 왕족에게서 기업을 만들고 유지하는 법을 배웠다. 그리고 비영리 단체, 기타 단체들을 만드는 데도 왕족의 방식을 택했다. 이쯤이면 대왕 만세를 외쳐도 될 법하다!

기업은 전통적으로 특권과 힘을 가진 CEO를 중심으로 설립된다. 당신이 CEO나 왕의 모습에 가까워질수록 더 많은 영향력과 힘을 갖게 될 것이다. 그런 회사의 목적은 왕을 더 부유하게 하고 그의 힘을 유지하는 것이다.

그러나 최근 새로운 일이 일어났다.

마케팅이 모든 것을 바꿔놓았다.

마케팅이 영향력을 만들어냈다. 마케팅이 현재 상황을 변화시켰다. 무엇보다도 마케팅이 부족을 해방시키고 활력을 불어넣었다. 만약 왕이 마음에 들지 않는다면, 부족원들에게는 떠날 자유가 있다.

전쟁과 시민혁명 등의 정치 변화가 1세기 전 유럽의 왕족들에게 희소식이 아니었던 것처럼, 지금의 변화 역시 CEO에게는 그다지 좋은 뉴스가 아니다.

마케팅이란 이야기를 파는 행위이다. 마케팅은 대통령을 당선시키고 비영리 단체의 기금을 모금한다. CEO의 교체 여부도 결정한다. 무엇보다도 마케팅은 시장에 영향을 끼친다.

예전에는 마케팅이 흔히 광고와 동일어로 사용됐고, 광고는 비싸다. 오늘날의 마케팅은 부족과 관계를 맺고, 그들에게 이야기에 상품과 서비스를 묶어 퍼뜨리는 것이다.

시장은 어제 원했던 것을 오늘 다시 원하지 않는다. 지난 100여 년간 이어진 마케팅 방식은 우리에게 새로운 것에 대한 갈증을 심어주었다. 그리고 새로운 것은 결코 안정적이지 않다, 그렇지 않은가?

안정은 환상이다

마케팅은 안정성의 개념을 바꿨다.

안정을 추구하는 것은 인간의 본성이다. 우리는 아직도 세계가 안전하다고 생각하고, 구글이 5년 후에도 여전히 1위일 것이라고 추측하고, 계속 키보드를 사용할 것이라 예측하고, 비행기가 날기 위한 유일한 수단일 것이라고 생각하고, 중국이 계속해서 성장할 것이라 예측하고, 극지방의 만년설이 그렇게 빨리 녹지는 않을 것이라고 추정해왔다.

우리는 틀렸다.

매스 마케팅과 끊임없는 광고는 사람들을 따분하게 만들어버렸다. 그리고 인터넷이 이 교훈을 증폭시키고 있다.

이미 봤던 평범한 유튜브 영상을 다시 보는 사람은 없다. 아무도 지루한 메시지를 남에게 전달하지 않는다. 그 누구도 큰 성장 가능성이 안 보이는, 흥미롭지 않은 주식에 투자하지 않는다.

달라진 것은, 사람들은 이미 안정성이 입증된 일을 하는 것보다 새롭고 스타일리시하고 유행을 선도하는 일에 더욱 감탄한다는 사실이다. 이러한 유행을 좇는 얼리어답터들은 상품을 사고 그에 대한 입소문을 내는 사람들이다. 그 결과 새로운 일, 새로운 직업, 새로운 기회, 그리고 새로운 인물이 어느 때보다 중요해졌다.

마케팅은 시장을 변화시켰다. 이제 시장은 보통 사람들을 위한 보통의 물건 혹은 크고 화려하고 비싼 광고에 감명받지 않는다. 오늘날의 시장은 변화를 원하고 있다.

회사의 설립년도가 오래된 것을 자랑스러워하던 때가 있었다. 하지만 지금은 그렇지 않다.

안정성과 빨리 작별할수록 커다란 기회가 찾아올 것이다.

편파적 지지자들을 만들어라

편파적 지지자, 이 단어를 정치인에게 사용한다면 이는 비판이 될 것이다. 하지만 모든 부족은 편파적 지지자들로 이루어져 있으며 이러한 사람들이 많을수록 더 좋다. 만약 중도파라면 굳이 부족에 참여하지 않을 것이니 말이다.

편파적 지지자들은 변화를 만들고자 한다. 그들은 어떠한 일이 일어나거나 일어나지 않기를 원한다. 그리고 리더는 자신의 비전을 분명히 할 때, 자신의 부족과 연결될 때, 그리고 부족원들이 서로 이어질 수 있도록 도울 때 비로소 진정한 리더십을 행사한다.

성장하길 원한다면
소동을 일으켜라

과거의 규칙은 단순했다. 조직의 성장을 위한 가장 좋은 방법은 신뢰를 구축하고, 일관적으로 운영하고, 점진적으로 시장 점유율을 늘리는 것이었다. 급격한 변화는 불확실성과 위험 그리고 실패를 초래하기 때문에 적이나 마찬가지였다. 사람들은 급격한 변화를 결코 원하지 않았다.

《크로니클 오브 필랜스로피Chronicle of Philanthropy》*의 비영리 단체 순위를 보라. 지난 50년간 이 목록은 거의 변하지 않았다. 왜일까? 기부자들이 위험 감수를 꺼렸기 때문이다.

비즈니스 세계는 보수적이며 현재 질서가 유지되기를 원한다. 그러나 이제는 그런 방식이 통하지 않는 세상이 되었다. 사람들은 변화를 갈망하고, 조직적 운동의 일부가 되는 것을 즐기고, 지루한 것들이 아닌 새롭고 놀라운 것을 이야기한다.

수십 년 전 미국 자동차 시장에 새로운 아이디어를 도입하려고 시도했다가 실패한 회사들인 유고Yugo, 르노Renault, 스털링Sterling을 살펴보자. 이들은 왜 실패했을까? 운전자들이 사라질

---

* 비영리 단체를 다루는 미국 잡지. 매년 기부금 수입을 가장 많이 기록한 비영리 단체 순위를 발표한다.

지도 모르는 차를 사고 싶어 하지 않았기 때문이다. 한편 노동자 입장에서도 그 회사들에서 일하길 원하지 않았다. 그들이 미국 시장에서 힘겨운 싸움을 하고 있었기 때문이다. 안정적인 제너럴 모터스에서 일하는 것이 더 낫다고 여겼으리라.

새로운 규칙은 다음과 같다.

만약 당신이 성장하길 원한다면, 고객을 찾아야 한다. 당신이 벌이는 일에 기꺼이 참여할 의사를 보이고, 당신을 믿고, 당신에게 기부하는 고객 말이다. 이들은 새로운 무언가를 찾고 있는 사람들이다. 성장은 빛과 소음과 변화에서 시작된다.

테슬라 로드스터Tesla Roadster는 실리콘밸리에서 개발된 10만 달러 상당의 전기 자동차다.* 40년 전에는 상상할 수도 없는 상황이었지만, 지금 이 차는 완판되었다. 테슬라는 로드스터 외에도 다양한 전기 자동차 모델을 내놓았고 친환경 자동차의 새로운 가능성을 열었다. 그리하여 열렬한 고객, 지지자, 그리고 대리 만족을 즐기는 팬들로 이루어진 부족을 구성할 수 있었다.

20세기 말 도요타가 100년 전 기술을 활용해** 최초의 하이

---

* 책에는 1세대의 가격을 언급하고 있다. 2020년에 출시 예정인 테슬라 로드스터 2세대의 경우 예약금 5만 달러, 판매가는 20만 달러에서 시작한다. 1,000대 한정으로 생산되는 한정판은 25만 달러에 달한다.

** 하이브리드 자동차의 시초라 일컬어지는, 19세기 말에 포르쉐가 내놓은 Mixte를 언급한 것.

브리드 자동차인 프리우스 하이브리드$^{Prius\ Hybrid}$를 처음 출시
했을 때, 그 어떤 자동차 제조사도 하이브리드 자동차 개발에 관
심을 가지지 않았다. 오늘날 도요타를 따라 하이브리드 자동차
를 제조하는 많은 회사들이 있다. 한 부족이 조직적인 운동을 이
끈 것이다. 불과 몇 년 만에 가장 크고 견고한 소비자 집단과 제
품과 산업이 스스로 변화하고 있다. 놀라운 일이다.

앞서가는 자동차 회사들은 새로운 기술을 내놓았고 시장에서
인정받을 수 있었다. 만약 당신이 현재 무언가를 위해 분투하고
있다면 당신이 가진 새로운 지렛대로 무엇을 할 수 있을지 상상
해보라.

당신은 무슨 일을 하는가? 당신은 무엇을 만드는가?

리더들은 소동을 만든다.

조직의 말단이
리더가 되는 비결

회의적인 사람들은 사전적 의미의 리더십 개념에 짓눌려 리더가 되기를 주저한다. 리더와 리더십이라는 단어에서 무엇인가를 해야 한다는 강박을 느낀다. 또한 권한이 없이는 이끌 수 없다고 생각한다. 특히 큰 조직에서는 CEO만이 리더십을 구축할 권리를 갖고 있다고 생각한다.

만약 당신이 큰 조직에서 일한다면 변화에 너무나 많은 저항과 걸림돌이 존재한다고 느낄 것이다. 그럼 여기서 질문 하나를 던져보겠다. "당신의 조직이 미 국방부보다 더 경직되어 있는가? 더 관료주의에 찌들어 있는가? 더 형식에 얽매여 있는가?"

토마스 바넷Thomas Barnett이 미 국방부를 확 바꾸었을 때, 그는 군인도 아니었고 지위가 높은 사람도 아니었다. 당시 그는 연구원일 뿐이었다. 하지만 그는 부시 정부 이후 미국의 외교 정책과 세계질서 재편성에 대한 새롭고 놀라운 아이디어를 가지고 있었다. 이를 토대로 'The Brief'라고 알려진 놀라운 프레젠테이션을 국방부에서 수행했고, 이는 국방부의 정책을 바꾸었다.•

• 이때 발표한 내용은 2004년《The Pentagon's New Map》이라는 책으로 출간되었다.

다음의 글은《월스트리트 저널》에 실린 기사의 일부분이다.

바넷은 9·11 테러 이후의 세계를 더 직접적으로 다루기 위한 개념을 재정비했다. 기존의 미 국방부 브리핑과 거리가 먼, 오히려 행위예술에 가까운 3시간짜리의 프레젠테이션을 결과물로 내놓았다. 이로 인해 41살의 바넷은 현대 군대의 전략과 방향성에 대한 뜨거운 논쟁에서 핵심 인물이 되었다. 군 고위 관계자는 미 국방부가 그들의 적과 내부 취약성 그리고 미래 구조를 바라보는 시각에 바넷의 생각이 큰 영향을 끼치고 있다고 언급했다.

불가능에 가까운 이런 일이 어떻게 일어났을까? 그러나 알고 보면 사실 매우 간단하다. 바넷은 변화를 열망하는 부족을 이끌었다. 그는 그의 아이디어를 통해 부족원들에게 용기를 주고 영감을 떠올리게 했으며 서로 연결될 수 있도록 이끌었다.

권한이 없던 사람이 갑자기 조직의 핵심 인물이 되기도 한다. 부족은 우리 모두에게 똑같은 기회를 주기 때문이다. 핵심 인물이 되는 과정에서 기술과 태도는 필수적인 요소다. 그러나 권한은 필수가 아니다. 오히려 권한이 방해물이 될 수도 있다.

부족원과 리더의 소통 방식

부족이 된다는 것의 진정한 의미는 무엇일까?

1999년 나는 《퍼미션 마케팅Permission Marketing》을 집필했다. 퍼미션 마케팅이란 소비자가 제공한 개인정보를 바탕으로 소비자와 관계를 구축하고 자발적으로 마케팅에 참여하게 유도하는 개념이다. 이 책에서 나는 마케터가 광고와 정보를 받고자 하는 사람들을 확보하고, 그들에게 메시지를 효과적으로 전달하는 방법에 대해 논했다. 이 개념은 여전히 유효하다.

부족은 여기서 한 발짝 더 나아간다. 부족은 마케터나 리더가 부족원에게 전달하는 메시지뿐만 아니라, 한 부족원이 다른 부족원에게 수평적으로 주는 메시지, 한 부족원이 외부인에게 전달하는 메시지, 그리고 부족원이 리더에게 주는 역방향 메시지까지 다양한 소통 방향이 있기 때문이다. 앞서 언급한 밴드 그레이트풀 데드는 이것을 이해했다. 그들은 콘서트에서 관중들이 단지 음악을 듣는 데서 그치지 않고 함께 참여하고 즐기는 콘서트를 만들어냈다.

또 언급할 만한 예시는 '잭Jack'이라는 상호의 흥미로운 레스토랑이다. 대니얼 수처Danielle Sucher와 데이브 터너Dave Turner가 브루클린에서 운영하는 식당으로, 매일 오픈하는 것이 아니라 비정기적으로 운영된다. 1년에 약 20회 정도, 토요일 밤에 예약제로 식당을 연다. 메뉴는 온라인에서 확인 가능하고, 가고 싶다면 예약을 하고 돈을 내면 된다.

유명 레스토랑에 가면 종종 손님이 아닌 요리가 주인공이 되는 경우가 있다. 그러나 대니얼과 데이브는 철저히 손님을 위한 요리를 만들어 손님을 주인공으로 대접한다. 손님은 스쳐가는 인연이 아니라 파티의 주인공이 된다.

대니얼은 음식, 문화, 지역정보 등의 소식을 제공하는 웹사이트 고다미스트Gothamist의 음식 칼럼니스트이다. 또한 이들은 음식 블로그인 '하비스 브루리Habeas Brulee'를 운영한다. 그 말인즉슨, 그들은 이미 자신들의 부족과 교류하고 있다는 것을 의미한다. 일단 토요일 밤에 식당이 오픈되면 그곳은 다른 부족 사람들과 어울리고 정보를 교환하는 장소가 된다는 뜻이다.*

_____

* 레스토랑 잭은 2009년까지 시범적으로 운영되었다.

시장은 변화를 요구하고
변화는 리더십을 요구한다

리더십은 부족이 원하는 변화를 창조하는 능력이다. 시장이 변화를 요구한다면 시장은 리더를 필요로 할 것이다.

매니저들은 기업이 그들에게 부여한 권한을 이용하여 관리자 역할을 수행한다. 매니저의 말을 듣지 않으면 해고당한다. 그러나 매니저는 변화를 만들 수 없다. 변화는 그의 일이 아니기 때문이다. 매니저의 일은 그가 맡은 임무를 기업의 다른 누군가(주로 부하직원)를 통해 완수하는 것이다.

반면에 리더는 자신이 어떤 기업에서 일하든 조직 구조나 공식적인 직책을 별로 신경 쓰지 않는다. 그들은 위협하거나 관료주의를 활용하지 않고, 자신의 열정과 아이디어를 활용해서 사람들을 이끈다. 다만 그 조직이 돌아가는 방식은 반드시 인지하려 한다. 그걸 알아야만 조직을 변화시킬 수 있기 때문이다.

모든 리더가 항상 정상에서부터 시작하는 것은 아니지만, 항상 정상의 사람들에게 영향을 미친다. 사실 거의 모든 조직은 당신 같은 사람이 나타나 자신들을 이끌어주기를 기다리고 있다.

무엇이 변화를 만드는가?

두 노벨 수상자를 살펴볼 차례다. 바로 무하마드 유누스Muham-
mad Yunus와 앨 고어Al Gore다.

유누스는 방글라데시의 은행가이자 경제학자이지만 사회운
동가로 더 잘 알려져 있다. 빈민들에게 무담보 소액대출을 해주
는 그라민 은행을 설립하여 빈곤 퇴치에 앞장선 공로로 2006년
노벨 평화상을 수상했다. 한편 클린턴 정부의 부통령으로 잘 알
려진 앨 고어는 지구 온난화와 그에 따른 환경파괴의 위험성을
환기시킨 공로로 2007년 '기후 변화에 관한 정부간 패널IPCC:
Intergovernmental Panel on Climate Change'과 함께 노벨 평화상을 공
동 수상했다.

두 사람의 활동에서 유사점을 발견할 수 있는데, 이는 부족을
이끌 때 활용할 수 있는 전략과 관련이 깊다.

빈곤퇴치를 위한 소액 금융 제도와, 지구 온난화를 인지하고
막기 위한 노력은 둘 다 조직적인 운동으로 발전되었다. 앞에서
나는 재클린이 설립한 어큐먼펀드를 언급했다. 어큐먼펀드의 최
고 파트너십 책임자인 야스미나 자이드먼Yasmina Zaidman은 이
미 오래 전부터 빈곤퇴치와 지구 온난화에 대한 해결책이 존재
했다고 주장했다. 우리에게 답이 없었던 것이 아니라는 뜻이다.
그런데 왜 이러한 심각한 문제들에 대한 인식이 힘을 얻는 데 이

렇게 오랜 시간이 걸렸을까?

이미 짐작했겠지만, 사람들에게 일방적으로 무엇을 하도록 이야기하는 것과 조직적인 운동을 꾸리고 이끄는 것 사이에는 큰 차이가 있기 때문이다. 서로가 서로에게 이야기할 때, 공동체 내에서 아이디어가 퍼질 때, 그리고 무엇보다도 서로가 항상 옳은 일이라고 생각해오던 일을 하도록 이끌 때 비로소 조직적인 운동이 일어난다.

훌륭한 리더는 부족원이 서로 소통할 수 있도록 힘을 실어줌으로써 조직적인 운동을 유발한다. 사람들에게 자신을 따르라고 명령하는 대신 사람들이 관계를 맺을 수 있는 기반을 마련해준다.

스카이프가 전 세계적으로 퍼진 이유가 바로 여기에 있다. 스카이프의 공동 창업자인 니클라스 젠스트룀Niklas Zennström은 통신사들의 횡포를 타도하는 것은 작은 회사에게 너무나 큰 과제라고 생각했다. 그러나 만약 부족이 자발적으로 서로 연결하고 메시지를 퍼뜨릴 수 있도록 힘을 실어준다면 충분히 조직적인 운동을 할 수 있으리라 생각했다. 그 결과 스카이프는 간편하고 친근하고 신뢰할 만한, 확장성이 뛰어난 커뮤니케이션 수단으로 자리잡았다.

저널리스트이며 세계적인 베스트셀러 작가인 맬컴 글래드웰Malcolm Gladwell은 베를린 장벽 붕괴에 대한 글을 기고했는데, 그 글에 따르면 베를린 장벽의 붕괴 역시 스카이프와 비슷한 종류의 역동성이 이루어낸 결과다. 한 사람의 열렬한 운동가 때문에 일어난 일이 아니라, 운동가들로 이루어진 부족의 점진적이고 꾸준한 성장의 결과라는 것이다.

제 아무리 다루기 힘든 문제라도 부족이 조직적으로 움직이면 쓰러뜨릴 수 있다.

큰 부족일수록
좋은 부족일까?

앞서 보았듯이, 사람들을 하나의 부족으로 만들기 위해서는 단 두 가지만 있으면 된다.

- 공통의 관심사
- 소통 방법

소통 방향은 다음 네 가지 중 하나일 수 있다.

- 리더가 부족에게
- 부족이 리더에게
- 부족원이 부족원에게
- 부족원이 외부인에게

리더는 다음의 전략으로 부족과 부족원의 효율성을 향상시킬 수 있다. 리더로서 당신의 모든 행동은 이 세 가지 전략 모두에 영향을 미칠 수 있으며, 당신의 과제는 어떤 전략을 최대화해야 좋을지 알아내고 결정하는 것이다.

- 공유된 관심사를 열정적인 목표와 변화에 대한 열망으로 전환하기
- 부족원의 소통을 강화할 수 있는 도구 제공하기
- 부족을 컨트롤하여 부족의 규모를 늘리고 새로운 부족원을 영입하기

안타깝게도 대부분의 리더들은 오직 세 번째 전략, 즉 부족의 크기를 키우는 데만 집중한다. 더 큰 부족일수록 더 좋은 부족이라고 생각하기 때문이다. 그러나 사실, 첫 번째와 두 번째 전략이 부족의 발전에 항상 더 큰 영향을 미친다. 크기는 부족의 영향력에 있어 그다지 중요한 요소가 아니다. 부족은 서로 조밀하게 연결될수록 성공하고 발전할 가능성이 높아진다.

미국 자동차 협회는 수백만 명의 회원이 있지만, 매년 TED 컨퍼런스에 가는 2,000명의 사람들보다 세계에 끼치는 영향이 훨씬 적다. 하나는 그저 크기만 하고, 다른 하나는 변화에 관한 것이기 때문이다.

전미 총포 협회 The National Rifle Association는 조직의 규모를 감안했을 때 미국의 정치 문화에 놀라울 정도로 큰 영향을 미친다. 부족원들끼리 잘 연결되어 있으며, 앞서 언급한 4방향 소통이 원활하고, 열정적인 사명이 있기 때문이다.

집단적으로 이용할 수 있는 새로운 도구와 기술은 부족 내의 소통에 대한 생각을 바꾸고 있다. 현명한 리더라면 이를 잘 이용할 줄 알아야 한다.

부족이 이루고자 하는 것

당신이 회사를 설립하면 흔적을 남길 것이다. 공장, 광고, 재생 불가능한 쓰레기들이 그것이다. 모두 당신이 한 노력의 결과다.

물건에 대해 생각하는 건 쉽다. 보고, 만지고, 손에 들 수 있기 때문이다. 또한 중요하게 여겨진다. 눈앞에 있기 때문이다.

그러나 부족은 물건에 관한 것이 아니다.

부족은 연결과 소통에 관한 것이다.

내가 가장 좋아하는 단체 중 하나인 어큐먼펀드는 개발도상국의 기업들에 재정적 지원을 하는 대신 무역과 경영 및 판매를 잘할 수 있도록 도움을 주고, 이익이 발생하게 한다.

어큐먼펀드는 연결을 만들어낸다. 헌신적이고 재능 있는 부족원들이 서로 연결되면 그들 사이에 자율권, 존중, 그리고 성장과 발전의 메시지가 퍼진다. 연결은 물건의 잔해와는 다르다. 당신이 리더십을 발휘해 만들어낸 부족의 연결은 점점 더 성장하고, 사라지지 않는다. 부족이 성숙하고 더 많은 사람과 접촉할수록 더 많은 연결로 이어진다. 부족은 번창하고 가치를 전달하고 퍼져나간다. 이러한 현상을 바이러스 활동 혹은 선순환이라고 부른다. 당신이 더 잘할수록 그 성과가 당신에게 양의 피드백으로 돌아올 것이다. 연결은 연결로 이어진다. 좋은 아이디어는 퍼져나간다. 이는 놀라운 일이다.

조직적 운동이란 무엇인가

빌 브래들리 Bill Bradley 전 상원의원은 조직적 운동을 다음의 세 가지 요소를 갖는다고 정의한다.

- 내러티브: 조직의 정체성과 만들려는 미래
- 연결: 리더와 부족원, 부족원과 부족원
- 해야 할 일: 한계가 적을수록 좋다

그러나 많은 조직에서 세 번째 요소를 제외한 나머지 요소를 잘 갖추지 못하고 있다.

위키피디아의 성공 비결

위키피디아는 어떻게 사람들이 가장 많이 방문하는 사이트 중 하나가 되었을까? 2007년 위키피디아가 처음으로 '가장 인기 있는 웹사이트 목록 톱 10'*에 이름을 올렸을 때, 풀타임 근로자 12명 내외에 소액 후원금 외에는 수익원이 없는 작은 집단이었다.

위키피디아의 공동 창립자인 지미 웨일즈Jimmy Wales가 부족을 만든 방식은 배울 점이 많다. 그는 소수의 사람으로 이루어진 작은 그룹을 끌어모아 위키피디아의 비전에 참여하도록 했다. 그는 그들에게 무엇을 하라고 이야기하지 않았고 다른 이들이 얼마나 노력하는지 관리하지도 않았다. 그저 이끌기만 했다.

그는 끊임없이 진화하는 기술을 이용해 부족원들을 서로 연결해주고 그들이 더 쉽게 소통하고 참여할 수 있도록 했다. 그리고 부족이 바깥세상과 관계를 맺을 수 있게 하는 플랫폼을 제공했다.

부족원에게 동기를 부여하고 외부 세상과 연결하고 지렛대 역할을 수행한 것.

그가 한 일은 그게 전부다.

---

* 아마존의 자회사인 '알렉사 인터넷'의 조사 결과에 따른 것이다.

신입사원의 소식지:
가진 것이 없을 때 부족을 만드는 방법

1984년, 24살이었던 나는 매사추세츠주 케임브리지에 위치한 스피너커Spinnaker라는 작은 소프트웨어 회사에 들어갔다. 교육용 컴퓨터 게임 1세대를 개발한다는 거대한 목표를 가지고 열정적으로 일했다. 나는 그 회사의 서른 번째 직원이었다.

여름 인턴십을 끝냈을 때 나는 새로운 일을 맡게 되었다. 공상과학소설을 토대로 문학적 어드벤처 게임을 만드는 것이었다. 우리 회사는 그 유명한 디스토피아 소설인《화씨 451》을 비롯해 몇몇 소설의 판권을 샀다. 나는 그 소설들을 읽고 공부한 후 게임으로 만들어야 했다. 문제는 나와 함께 일할 사람이 한 사람도 없었다는 것이다. 우리 팀에는 팀원도 비서도 프로그래머도 없었다. 오직 나만 있었다.

우리 모두는 수십 개의 프로젝트를 진행하느라 무척 바빴다. 엔지니어링 부서에 40명 정도의 프로그래머가 있었는데, 그들은 여러 프로젝트에 순환 배치되었다. 얼마 후 3명의 프로그래머와 협업할 수 있는 기회가 주어졌다. 그러나 크리스마스 시즌에 출시하는 일정을 맞추려면 더 많은 프로그래머가 필요했다.

나는 소식지를 만들었다. 소식지에서 내 제품들에 참여하는 모든 사람의 작업 내용, 문제를 해결하는 방식, 우리가 개척하고 있는 새로운 영역에 대해 이야기했다. 당시 회사 전 직원은 대략 100여 명 정도였는데, 나는 이 소식지를 복사해 모든 직원의 우편함에 넣었다.

그 후 일주일에 두 번씩 소식지를 만들어 배포했다. 일주일에 두 번씩 우리 작은 부족이 하는 놀라운 일을 시간 순으로 나열해 정리하고 나아가 우리가 해야 하는 일에 대해 이야기를 시작한 것이다. 그 결과 부족을 연결했다. 소식지는 직원들로 이루어진 이질적 그룹을 하나의 노동 공동체로 만들었다.

한 달도 지나지 않아 프로그래머 6명이 휴가 기간에 나와 일을 하며 우리의 부족에 합류했다. 그리고 얼마 후 우리 부족은 20명이 되었다. 머지않아 엔지니어링 부서의 모든 사람이 내 프로젝트에 배정되거나 참여했다. 우리는 크리스마스 시즌에 맞추어 5개의 제품을 출시했고, 모든 제품이 50만 개 이상씩 팔렸다. 한 제품당 수백만 달러치의 매출을 거둠으로써 우리 회사를 살렸다.

사람들이 그 소식지 때문에 마음을 바꾸었을까? 물론 그렇지 않다. 소식지는 계기였을 뿐이다. 그들은 변화를 만들어내기 위해 마음을 바꾸고 참여한 것이다. 또한 중요한 무언가의 일부가 되기를 원했다. 지금도 그 팀의 사람들은 우리가 만든 것들에 대해 이야기한다. 또한 이를 계기로 경험이랄 게 없었던 24살의 나는 일생일대의 여행을 시작하게 되었다.

소식지를 만든 것이 내가 했던 일의 전부일까? 물론 그렇지 않다. 나는 어려운 업무를 수행했다. 즉 팀의 길에 놓인 장애물을 밀어내고, 프로젝트를 살아 숨 쉬도록 만들고, 영혼을 주입했다. 우리 중 30명, 즉 고도로 숙련된 29명의 기술자와 나는 출시 날짜를 맞추기 위해 한 달간 밤마다 회사에서 잤다. 우리에게는 크리스마스가 오기 전에 해야 할 일이 있었고 내 일은 서로가 소통할 수 있도록 돕는 것이었다.

내가 했던 모든 것은 내가 아닌 우리 모두를 위한 것이었다. 나는 관리하지 않았다. 그저 이끌었을 뿐이다.

대중과 부족의 결정적인 차이: 대중을 겨냥할 시간에 부족을 만들어라

대중과 부족은 두 가지 다른 점이 있다.

- 대중은 리더가 없는 부족이다.
- 대중은 소통이 없는 부족이다.

대부분의 조직은 일반 대중을 상대로 마케팅하기 위해 많은 시간을 쓴다. 그러나 현명한 조직은 그 시간에 부족을 만든다.

마케팅적 측면에서 대중은 흥미로운 집단이다. 이들을 상대로 마케팅하면 가치 있는 결과를 창출하고 일정한 시장 효과를 만들어내기도 한다.

그러나 부족은 더 오래 지속되고 더 효과적이다.

시장은 좋은 것이 아닌
훌륭한 것을 원한다

시장은 당신이 놀라운 사람이 되기를 원한다. 가장 중요한 부족들은 지루한 어제보다 흥미로운 내일을 원한다. 무엇보다도 놀라운 아이디어가 확산되고, 확산되는 아이디어가 승리한다.

지난 20세기에는 효율적인 기업과 효과적인 마케팅 전략을 가진 브랜드들이 성공했다. 펩시, 구세군, 지역 컴퓨터 소매점 등이 시장의 주춧돌 역할을 했다. 그러나 어느 순간, 가장 오래된 브랜드가 가장 빠르게 성장하는 브랜드 그룹에 이름을 올리지 못하게 됐다. 어느 순간, 가장 경험이 많은 사업가가 가장 성공한 사업가 반열에 들지 못하기 시작했다. 그리고 어느 순간, 가장 안정적인 직업이 더 이상 안정적이지 않게 되었다.

시장이 목소리를 높이고 있다. 새로운 것과 새로운 스타일을 원한다는 사실이 분명해졌다. 무엇보다도 '훌륭한' 것을 원한다.

만약 사람들이 당신을 따르기를 원한다면 당신은 그냥 좋은 사람이 되면 안 된다. 이미 오래 전부터 '좋다', '충분하다'라는 말은 더 이상 '좋다', '충분하다'라는 뜻으로 쓰이지 않게 되었다. 이제 '좋은 사람'보다는 '훌륭한 사람'이 되는 것이 더 낫지 않을까?

평균과 그저 그런 것의 차이

보통 회사의 경영진은 현 상태를 유지하기 위해 평균적인 제품을 평균의 사람들에게 팔려고 한다. 안정적인 환경에서는 옳은 전략이다. 신뢰성을 확보할 수 있고, 예측 가능하고, 비용을 줄이며, 수익을 창출할 수 있기 때문이다.

전통적인 시장 상황에서는 이 전략이 통했다. 보통의 제품을 보통의 사람들에게 권유하는 것, 할인 등의 방법으로 판매하는 것은 안정적이며 성공적인 방식이다.

그러나 부족들에게 평균은 '그저 그런 것'과 동의어다. 너무 지루해서 시도할 가치조차 없다.

인생은 변화를 위해 노력하기에도 너무 짧다. 싫어하는 일을 할 시간 따위는 없다. 평균적인 것을 만들 시간이 어디 있는가?

평균과 그저 그런 것 사이에 차이가 있을까? 없다고 봐도 무방하다. 이제 평균적인 것은 당연하게 여겨지고, 사람들 입에 오르내리지 않고, 아무도 찾지 않는다.

종일 자기가 하는 일을 지키려 노력하고, 항상 팔아오던 것을 팔기 위해 노력하고, 새로운 변화의 물결을 거부하고, 조직이 파괴되는 것을 막기 위해 노력하면 어떻게 될까? 결국 지치게 될 것이다. 그저 그런 것을 옹호하면 피곤할 뿐이다.

당신에게는
얼마나 많은 팬이 있는가?

매거진 《와이어드Wired》의 수석 편집자로 잘 알려진 케빈 켈리 Kevin Kelly는 웹사이트 테크니엄Technium에 '1,000명의 진정한 팬들'의 세계를 아주 잘 묘사한 글을 올렸다. 이 글에 따르면, 진정한 팬은 당신과 당신의 일에 대해 깊이 생각하는 부족원이라고 주장한다. 그 팬은 길을 건너와 당신에게 물건을 사거나, 친구를 데려와 당신의 말을 듣게 하거나, 약간의 투자를 통해 당신을 지지하는 사람들이다.

예술가 1명이 있다고 가정하자.

그에게 몇 명의 팬이 있어야 성공할 수 있을까?

단 1,000명이면 충분하다.

그 팬들은 그에게 많은 관심을 줄 것이다. 그가 좋은 삶을 살도록, 더 많은 사람에게 닿도록, 훌륭한 작업을 할 수 있도록 그를 지지할 것이다. 1,000명의 진정한 팬은 하나의 부족을 형성하기에 충분한 숫자다.

존 메이어John Mayer의 진정한 팬은 그의 콘서트에 친구 3명을 데려올 것이다. 척 클로즈Chuck Close의 진정한 팬은 그의 미술 전시회에 3명의 친구를 데려올 것이다. 작가의 진정한 팬이라면 인터넷에서 정보나 자료를 구하는 대신 책의 초판을 손에 넣으려 노력할 것이고 한정판 양장본을 구입하기 위해 추가 비용을 지불할 것이다. 가장 중요한 것은, 진정한 팬은 다른 진정한 팬들과 연결되어 예술가의 작업물이 더욱 퍼져나가고 알려지게 만든다는 것이다.

물론 몇몇 기업이나 비영리 단체 혹은 교회는 더 많은 팬들이 필요할 수도 있다. 스타벅스라면 아마 100만 명의 팬이 필요할 것이다. 대통령 후보자는 1,500만 명의 팬이 필요할 것이다. 그러나 일반적으로 부족을 이루기 위해 필요한 사람의 수는 당신이 몇 명을 상상하든, 그보다 적을 것이다.

너무 많은 조직이 팬이 아닌 사람들의 수에 신경을 쓴다. 그들은 조회수, 회전문을 지나는 사람들의 수, 미디어의 언급 빈도 등을 신경 쓴다. 그들은 진정한 팬들이 주는 헌신과 상호 연결의 깊이를 놓치고 있다. 진정한 리더라면 마케팅 메시지에 노출되는 고객의 수에 신경 쓰는 대신, 일반적인 호의를 가진 사람을 진정한 팬으로 바꾸는 게 진정한 성공임을 알아야 한다.

진정한 팬은 찾기 어렵고 소중하다.
단 몇 명만으로도 모든 것을 바꿀 수 있다.
그들은 당신의 관대함과 용기를 원한다.

기술은 바뀌지만
전술은 그대로다

많은 사람들은 트위터와 같은 SNS를 가치 없고 멍청한 짓이라고 생각한다. 그러나 트위터를 제대로 이용하는 사람들은 트위터와 같은 웹 프로토콜의 진정한 힘을 알고 있다. 트위터는 믿을 수 없을 정도로 간단하며 사람들이 대화를 더욱 쉽게 할 수 있도록 돕는다.

인스턴트 메시지와 트위터의 결정적인 차이는, 인스턴트 메시지는 1명에게 전송되는 반면에 당신의 트위터는 당신을 팔로우하는 모든 사람에게 전달된다는 것이다. 예를 들어 보스턴에 사는 젊은 엄마인 로라 피튼Laura Fitton은 수만의 팔로워를 보유하고 있었고, 그녀가 트위터에 짧은 홍보글을 쓸 때마다 팔로워들 모두에게 노출되었다.

시간이 흐르면서 로라는 신뢰를 쌓아갔고, 이것은 컨설턴트로서의 성공적인 커리어로 이어졌다. 그녀는 매력적인 사람들을 만났고 그녀의 부족이 세상을 보는 방식을 바꿨다. 그녀에게는 이제 진정한 팬들이 생겼다. 그리고 그녀를 찾고 그녀에 대해 이야기하는 수많은 사람들이 있다.

로라가 이 모든 것을 한 번의 연설이나 블로그 포스팅으로 해내지는 않았다. 관대함과 통찰력으로 꾸준히 부족의 마음을 움직임으로써 부족을 이끌 권리를 얻은 것이다.

나는 개인적으로 기술이 그다지 중요하다고 생각하지 않는다. 블로그, 트위터, 그리고 다른 기술들은 당신이 이 책을 읽고 있는 이 순간에도 등장했다가 사라질 수 있다. 중요한 점은 기술을 적절히 활용하면 당신과 당신을 따르기로 선택한 사람들 간의 관계를 긴밀하게 구축할 수 있다는 것이다. 기술은 바뀌지만 전술은 그대로다.

현재 상황을 바꿔야 성공한다

현재 상황을 혁신하는 조직이 성공한다.

조직의 규칙을 바꾸도록 설득하는 사람이 성공한다. 앞서 말했듯이 조직에서 어떤 위치에 있든 현재 상황을 바꾸고자 하는 의지가 있는 사람이면 누구나 리더십을 발휘할 수 있다.

현재 상황은 모두가 받아들이고 있는 것이다.

상품을 발송하는 데 걸리는 시간일 수도 있다.

에이전시에 지불해야 하는 수수료일 수도 있다.

상품 포장 방식일 수도 있다.

가격 모델일 수도 있다.

현재 상황이 무엇이든, 이것을 바꾸면 놀라운 사람이 될 기회를 얻게 될 것이다.

모든 시장은
혁신에 보상한다

주위를 둘러보자. 시장이 어떻게 움직이는지 살펴보자.

가장 빨리 성장하는 교회는 가장 최근에 지어진 교회들이다. 가장 많이 팔리는 책은 갑자기 튀어나오는 깜짝 히트작들이다. 모두가 이야기하는 감세 수단은 최근의 판결에 근거한 것이다.

이와 같은 성공적인 제품과 서비스를 생산하려면 결단력이 필요하다. 진취적인 움직임은 '관리'와는 거리가 멀다.

놀라운 제품과 새로운 서비스를 만드는 것은 재미있는 일이다. 재미있는 일을 하는 것은 매력적이다. 그러므로 성공적인 것들을 만드는 것은 당신의 시간을 사용하는 가장 좋은 방법이다.

행복으로 가는 지름길은 곧 진취성이다.

당신을 위한 지렛대

아주 긴 지렛대가 있으면 널빤지에서 못을 빼낼 수 있다.

아주 긴 시소가 있으면 스모선수를 들어 올릴 수 있다.

아주 긴 지렛대로 당신의 회사와 산업, 그리고 세상을 바꿀 수 있다.

모두를 위한 지렛대가 더 길어졌다. 인터넷과 입소문, 아웃소싱과 SNS 그리고 이와 관련된 요소들로 인해 전세계 60억 인구 모두가 이전보다 훨씬 더 많은 힘을 가지게 되었다. 그리하여 예전의 왕과 기존 질서는 큰 곤경에 처하게 되었다.

잠깐, 지금 앞 단락을 어물쩍 넘어가려 하는가? 아마도 너무 짧아서 그럴 수도 있겠지만, 당신이 받아들이기에 지나치게 도전적인 것처럼 여겨지기 때문일 것이다.

내가 하고 싶은 말은 한 개인이 5,000만 조회수를 기록하는 동영상을 만들 수 있다는 것이다.

내가 하고 싶은 말은 한 개인이 산업을 뒤집어놓을 수 있는 가격 모델을 만들 수 있다는 것이다.

내가 하고 싶은 말은 당신은 당신보다 훨씬 큰 무언가를 만드는 데 필요한 모든 것을 가지고 있다는 것이다. 이미 당신의 주변 사람들 모두 이 사실을 알고 있다. 당신이 이끌 준비가 되어 있다면, 그들은 당신을 따라갈 것이다.

아주 특별한 파티

새로운 기술로 부족을 만든 간단한 예를 하나 들겠다. 스콧 빌 Scott Beale은 오래 전부터 혁신과 지도력을 갖추고 일해왔던 사람이었다. 그의 회사인 래핑 스쿼드 Laughing Squid는 웹호스팅부터 티셔츠에 이르기까지 거의 모든 것을 생산하고, 레이저 조각 작업에서 미술품 목록 작업에 이르기까지 다양한 작업을 한다. 한 마디로 말해, 그는 여러 분야의 온라인 부족들을 이끌고 있다.

2008년 스콧은 사우스 바이 사우스 웨스트 SXSW:South by Southwest*에 참가했다. 그는 구글이 주최하는 파티에 참여하고 싶었다. 그러나 구글 파티에 참여하려는 사람들이 너무나도 많았다. 긴 줄을 서야만 들어갈 수 있는 상황이었다. 그게 싫었던 스콧은 줄 서기를 포기하고 거리를 걸었다. 그러던 중 한 바를 발견했고, 테이블에 앉아 휴대폰을 켰다. 그는 트위터에 '진저맨 바에서 알타 비스타 파티를 엽니다'라는 멘션을 올렸다. 몇 분 후, 8명이 찾아왔다. 그 후 얼마 지나지 않아 50명이 되었고, 사람들이 문밖에서 줄을 서서 기다리는 지경이 되었다.

나는 지금 정치적 운동을 얘기하는 게 아니다. 이것은 부족에

---

* 음악·영화·IT를 아우르는 세계 최대 종합 콘텐츠 페스티벌. 매년 봄에 텍사스주 오스틴에서 개최된다.

관한 이야기이다. 부족의 에너지와 연결성의 명확한 효과에 대해 이야기하고 있다. 이 효과를 100만 개의 비슷한 부족에 곱하면, 지금 무슨 일이 일어나고 있는지 알 수 있다. 부족들은 단지 집단적 움직임으로 바뀌기를 기다리고 있을 뿐이다.

중요한 사실을 기억하자. 트위터는 단지 이 이벤트의 시작일 뿐, 이벤트 자체가 이루어지도록 하지는 않았다. 부족원들이 스콧을 존경하지 않았거나 혹은 스콧이 자신들을 이끌도록 허락하지 않았다면, 사람들은 왔다가 그냥 떠났을 것이고 결국 그는 술집에 혼자 있었을 것이다. 단발성으로 끝날 수도 있었던 진저맨 바에서의 첫 파티는 부족의 노력 끝에 4년이 지난 후 체계를 갖추게 되었다.

공장의 매력

다음의 두 가지 이유로 우리에겐 공장이 필요하다.

첫 번째 이유는 꽤 분명하다. 공장은 효율적이다. 공장을 세우고 일꾼들로 공장을 채워 제품을 생산한다. 수익을 창출하기 좋은 방법이다.

여기서 공장이 반드시 무거운 기계, 미끄러운 바닥 그리고 소음이 있는 장소만 뜻하지는 않는다. 여기서 공장은 구체적인 생산량 측정이 가능하고, 일이 진행될수록 비용 절감을 위해 노력하며, 제품이나 서비스를 만들어내는 조직을 의미한다. 당신의 상사가 당신에게 무엇을 어떻게 하라고 지시하는 모든 조직을 의미한다.

두 번째 이유는 효율성과는 아무 연관이 없으며 인간의 본성과 많은 연관이 있다. 우리 중 일부는 안정성을 원한다. 이들은 되도록 책임감을 회피하고자 하고 공장은 이를 가능하게 한다. '나는 당신이 시킨 대로 일하고 있다'라는 아이디어를 바탕으로 행동하는 것은, 이것의 대안이 길거리에서 식량을 구걸하는 것이라면 특히 더 설득력이 있다.

그래서 공장이 나타났을 때 사람들은 공장에 합류하기 위해 달려갔다.

최근 인도 여행에서 이 생각은 더 명확해졌다. 그곳에서 내가 만난 거의 모든 사람에게 본인이 생각하는 가장 완벽한 직업이 무엇인지를 물어보았고, 대답은 정부 관료로 일하는 것이었다. 에어컨을 쐴 수 있을 뿐더러 솔선수범하도록 요구받지 않기 때문이다. 안정적이고 보수도 좋으며 놀랄 일도 없다.

공장은 우리 삶의 일부다. 공장은 사람들에게 보수를 지급하고, 안정적이다. 무엇보다도 사람들이 원하기 때문에 존재한다.

그렇다면 공장에서 찾을 수 없는 것은 무엇일까? 동기가 부여된 부족, 변화를 만들어내는 부족이다. 앞으로 닥칠 일에 들떠 있는 고객들로 이루어진 부족이 공장 밖에서 당신을 기다리고 있다.

공장의 종말

포드 노동자 2만 명이 하루아침에 직장을 잃었을 때, 청량음료 회사들이 다음 단계로의 성장이 불가능하다고 여겨졌을 때, 공장의 이점은 희미해지기 시작했다.

공장에서 일하는 것은 더 이상 안전하지 않다.

누구나 큰 영향력을 발휘할 수 있는 지렛대의 시대, 통찰력과 스타일이 기계를 이기는 시대에서는 상사의 말을 그대로 따르는 것 또한 그렇게 매력적이지 않다.

만약 당신이 이 세상에서 어떠한 직업이든 마음대로 선택할 수 있다면 무엇을 택하겠는가?

뉴욕주 용커스 사회보장국의 하급 공무원?

제너럴 모터스 공장의 중간 관리자?

맥도날드 파트타이머?

당신의 대답이 이렇지는 않을 것이다.

이제 에어컨 바람에 대한 환상은 사라졌다. 사람들은 원하는 직업을 상상할 때 통찰력을 이용해 엄청난 보상을 받는 사람을 상상한다. 혹은 스스로 자랑스레 여길 만한 제품이나 서비스를 생산하는 사람을 상상한다. 자신의 시간과 노력에 대한 자율권을 바탕으로 자신이 하는 일을 완전히 장악한 사람을 상상한다.

이중 그 어느 것도 공장 노동자와는 상관이 없다.

프리 에이전트의 시대:
부족을 만들려면 조직을 떠나야 할까?

세계적인 베스트셀러 작가인 다니엘 핑크Daniel Pink는 영리한 사람들이 조직을 떠나 자기만의 길을 걷는 현상을 '프리 에이전트의 시대Free Agent Nation'라고 했다.

내가 이 책을 통해 말하고자 하는 건 프리 에이전트와는 조금 다르다.

조직은 그 어느 때보다도 중요해졌다. 우리에게 필요 없는 것은 '공장'일 뿐이다.

조직은 복잡한 상품들을 만들고 시장에 공급하는 데 필요한 능력과 지속성을 제공한다. 무엇보다도 조직은 큰 부족을 아우르고 관리하는 데 필요하다.

그러나 조직이 더 이상 공장이 될 필요는 없다. 공장이 필요하면 아웃소싱해도 된다. 공장을 직접 운영하면 되레 속도가 늦어질 수 있다.

미래의 조직에서 가장 중요한 사항은 임무를 수행하는 똑똑하고, 빠르고, 유연한 사람들로 조직을 가득 채우는 것이 되어야 한다. 물론 가장 중요한 것은 리더십이다.

혹시 오랜 시간에 걸쳐 검증된 지침서가 없이는 조직을 '운영' 할 수 없다는 생각이 드는가? 그럴 수 있다. 하지만 불안정한 시기의 성장은 매니저가 아닌 리더가 이끈다. 리더는 변화를 만들고 조직 안에서 생명력을 발휘하기 때문이다. 반면 매니저는 직원들에게 저비용 고효율의 노동을 강요한다.

내면의 적

만약에 부족이 혁신을 불러온다면….

그리고 혁신을 시작한 사람이 더 행복해진다면….

그러면 왜, 아무도 혁신하려 들지 않을까?

바로 두려움 때문이다.

나는 지금까지 훌륭한 아이디어를 가진 수천 명의 사람을 만났다. 그중 어떤 아이디어들은 정말 훌륭했고, 어떤 것들은 꽤 좋았고, 또 다른 아이디어는 흠 잡을 만한 점이 없었다. 평범한 사람들 역시 놀라운 것들을 꽤 쉽게 생각해낼 수 있다. 그러나 대개는 그 아이디어를 실현하고자 하는 마음가짐이 없다.

두 가지 아이디어가 경쟁할 때 더 좋은 것이 반드시 이기지는 않는다. 더 용기 있고 실행력 있는 이단자와 함께하는 아이디어가 이긴다.

많은 사람들이 아이디어를 검토하고 승인해주는 가상의 부서가 있다고 믿고 싶어 한다. 그 부서는 안건으로 올라온 아이디어를 판단하고 최고의 아이디어를 칭찬할 것이라 여긴다. 만약 당신도 그런 걸 믿는다면, 당신의 놀라운 아이디어를 열심히 다듬고 닦아서 제출해라. 그리고 나머지는 그들이 알아서 하도록 하라.

아참, 애석하게도 이런 일은 일어나지 않을 것이다.

당신을 가로막는 건
오직 두려움이다

두려움이 가장 강력하고, 오래되었으며, 모두가 타고나는 감정이라는 것은 의심할 여지가 없다.

언론은 실패한 이단자의 몰락을 매력적으로 포장해 보도하는 것을 좋아하고, 사람들은 곤경에 처하고 직장을 잃고 집과 가족도 잃고 불행해진 이단자의 이야기를 들을 준비가 되어 있다. 이런 종류의 뉴스가 한번 풀리면 모두가 재빨리 알아차리는데, 다들 이단자의 실패에 목말라 있기 때문이다. 사람들은 이단자가 현재 질서에 도전하는 오만하고 무모한 인간이라고 생각한다.

내가 만난 열정적인 이단자들에게는 흥미로운 공통점이 있었다. 그들에게도 두려움은 그대로 남아 있었다. 하지만 그들은 두려움을 '다른 이야기'로 묻어버렸다.

그 다른 이야기란 성공, 실행, 지금 해야 하는 중요한 일이다. 세상, 자신이 종사하는 산업, 프로젝트가 요구하는 것에 대한 지적인 고찰이다. 그리고 자신의 통찰력이 변화를 만들어내는 방식에 대한 이야기다.

나는 당신이 두려움에 대해 이야기하는 동시에 두려움을 스러지게 만들 전략을 짤 수 있다고 믿는다. 상사에게 전달할 메모를 쓰는 기발한 전략을 배운다고 해서 두려움이 사라지는 것이 아니다. 두려움을 없애기 위해 정말로 해야 할 것은, 이 세상이 조속한 변화를 필요로 하고 있다는 사실을 스스로 확신하고 다른 사람들에게도 알려주는 것이다.

여기서 잠깐!

잠시 멈춰보자. 단지 몇 개의 단락만으로 평생 두려움에 부딪혔던 삶을 되돌리기에는 충분하지 않을 것이 분명하니까 말이다.

그러니 잠시 멈춰서 다시 곱씹어볼 필요가 있다. 이 책에서 제시하는 유일한 지름길, 유일한 기술, 유일한 방법, 비밀스러운 정보는 무엇일까? 바로 '지렛대가 벌써 당신 앞에 있다'라는 것이다. 그 증거가 당신 앞에 있다. 힘 또한 당신 앞에 있다. 당신을 가로막는 것은 오직 당신의 두려움이다.

인정하긴 어렵겠지만, 꼭 이해해야 하는 것이다.

피터의 법칙: 리더십의 본질 다시 보기

캐나다의 교육학자 로렌스 피터Laurence Peter는 "계층 내의 모든 직원은 자신의 무능함 수준을 높이려는 경향을 보인다."라는 말로 유명하다. 이를 '피터의 법칙Peter Principle'이라고 하는데, 기본 개념은 다음과 같다. 계층 구조를 지닌 조직에서 유능함을 보이며 일을 잘하는 사람은 승진으로 보상을 받아 새로운 일을 맡게 된다. 그런데 직급이 높아지면서 맡은 일은 점점 더 복잡해지고, 다른 도전 과제들을 수반하기 마련이다. 마침내 잘 해내지 못하는 일을 맡게 되면 승진이라는 행군은 멈출 것이고, 남은 직장 생활 내내 그 일을 하면서 보내게 될 것이다. 이 불길한 논리에 따르면, 조직의 모든 자리는 결국 그 일을 잘하지 못하는 사람들로 채워지게 될 것이라는 추론이다.

나는 피터의 법칙을 다른 말로 바꾸어 표현하고자 한다. 나는 조직에서 실제로 일어나는 일이 '조직의 모든 사람이 두려움으로 인해 마비되는 수준까지 올라가는 것'이라고 생각한다. 조직의 모든 사람은 최대치의 두려움을 경험한다.

리더십의 본질은 마음속 두려움을 자각하는 것, 그리고 부족원이 되고자 하는 이들의 두려움을 보는 것이다. 물론 두려움은 사라지지 않는다. 그러나 두려움을 자각하는 행위는 발전의 원동력을 만들어내는 실마리가 된다.

두려움을 극복해야 하는 이유

너무나 흔하지만 제대로 알아차리지 못하는 현상이 있다. 몇 년 동안 고군분투해도 아무것도 이루어내지 못하는 사람들에 관한 것이다. 이들은 규칙을 따르며 일을 하고 열심히 밀고 나가지만 아무 일도 일어나지 않는다. 고통은 극심하지만 얻는 것은 없다. 이러한 추동력 부족 현상은 자영업 혹은 중소기업에서 가장 크게 두드러지고, 훌륭한 목표를 가진 비영리 단체나 대기업에서도 발견할 수 있다.

무슨 일이 벌어지고 있는 걸까?

나는 이러한 사람들이 따라가는 방법은 잘 배우고 있지만, 이끄는 법을 배우지는 못하고 있다고 생각한다. 이들은 지시를 따르고, 명령을 따르고, 동료를 따르고, 기술을 연마하고 있지만, 숨어 있다. 이끄는 행위의 두려움을 피해 숨어 있다.

한 부족을 이끌 때, 당신은 하나의 부족에 속하게 된다. 그러면 수익이 늘어나고 일이 쉬워지며 결과가 더욱 뚜렷해진다.

그것이 바로 두려움을 극복해야 하는 가장 큰 이유다.

보랏빛 소

주목할 만한 제품이나 서비스는 마치 보랏빛 소와 같다. 갈색 소는 지루하고, 보랏빛 소는 언급할 가치가 있다. 보랏빛 소를 만드는 아이디어들은 퍼져나가고, 보랏빛 소를 출시한 조직들은 성장한다. 오늘날 시장에서 일어나고 있는 일의 본질은 보랏빛 소를 만드는 데 있다.

시장의 룰은 단순하다.

아이디어가 퍼져나가면 승리한다.

지루한 아이디어는 퍼져나가지 않는다.

지루한 조직은 성장하지 않는다.

정적인 환경에서 일하면 재미없다.

제일 나쁜 것은, 변화를 막기 위해 분주한 조직에서 일하는 것이다.

그렇다면 생각해봐야 한다.

왜 나와 나의 팀은 보랏빛 소를 만들지 않았을까?

내가 일하는 조직은 어떤 조직인가?

언급할 만한 것들을 만들어라: 비판이 무관심보다 낫다

실패에 대한 두려움은 과대평가되었다. 만약 당신이 한 조직에 속해 있다면, 실패의 비용은 당신이 아니라 조직이 부담하기 때문이다. 당신의 기획이 웬만큼 실패하지 않는 이상 회사는 당신을 해고하지 않을 것이다. 그 회사는 돈을 조금 덜 벌 따름이고 여전히 앞으로 나아갈 것이다.

사람들이 정말 두려워하는 것은 실패가 아니다. 비난과 비판이다.

남들과 다른 특별한 사람이 되길 꺼리는 이유는 비판이 두렵기 때문이다. 우리는 혁신적인 영화를 만들기를 주저한다. 새로운 인적 자원 계획을 세우는 것도 주저한다. 손님들의 시선을 끌 저녁 메뉴를 개발하는 것도 주저한다. 대담한 연설을 하는 것도 주저한다. 누군가 싫어할 것을 염려하고, 다음과 같은 말을 듣기 무서워서 그렇다.

"내가 들었던 말 중에 제일 바보 같아."

"돈이 아깝다."

"누가 책임질 건데?"

종종 비판은 그렇게 명백할 필요도 없다. "이거 시작하기 전에 연구 더 안 했어?"라는 말을 듣기 싫은 마음에 사람들은 더 많이 연구하고, 죽을 때까지 무언가를 공부한다. 제대로 비판받기도 전에 말이다.

이러한 비판에 대한 두려움은 사람들의 행동을 억제한다. 사람들은 비판받아서 두려운 게 아니라 비판받을까 봐 두려워하기 때문이다. 혁신적이라는 이유로 비난받는 사람들을 보며 자신에게도 그러한 일이 일어날까 봐 두려워 더 조심하게 되고, 새로운 행동을 주저하게 된다.

물론 건설적인 비평은 모두에게 도움이 되는 훌륭한 도구다. 그러나 '이건 별론데' 혹은 '실망스럽다' 따위의 비평은 전혀 도움이 되지 않는다. 사실 그 말의 이면에 진실이 있다. 그런 말을 하는 사람은 상황을 개선할 어떠한 정보도 주지 않고 자신의 힘을 이용하여 상대에게 상처를 입힐 뿐이다. 더 나쁜 건, 듣는 사람이 스스로 사려 깊은 결정을 내리는 데 도움이 되는 자료를 제공하지 않았다는 점이다. 뿐만 아니라 비판의 근거를 밝히기를 거부함으로써 자신의 의견에 이의를 제기하지 못하도록 한다. 비겁한 행동이다.

나 역시 나쁜 평을 받으면 감정이 상한다. 모든 비평가가 내 책을 칭찬하기를 바란다. 내 책 제목이 사람들에게 영감을 주고, 내용은 사려 깊으며 모든 것을 설명한다고 말해주기를 바란다. 하지만 종종 그들은 내 마음처럼 행동하지 않는다. 이는 내 하루를 망치기에 충분하다고 볼 수도 있다.

하지만 단호히 말하건대, 그들의 평가는 내 하루를 망칠 만큼 타격이 강하지 않다. 수많은 책이 사람들에게 주목받지 못하고 사라진다. 하지만 내 책은 사람들 눈에 띄었고, 대부분 내 책을 좋아했다. 물론 몇몇은 그렇지 않았지만.

나는 악평을 받으면서 깨달았다. 조금이라도 비판을 받는 것은 일종의 명예 배지를 받는 일이라는 사실을 말이다. 다시 말해 내가 언급할 가치가 있는 일을 해냈다는 것을 의미한다.

당신이 배워야 할 교훈은 다음과 같다. 사람들의 입에 오르내리는 상품과 서비스는, 어쨌든 이야기할 가치가 있는 것이다. 만약 내가 지루한 책을 썼더라면 비평도 언급도 없이 그대로 묻혔으리라.

당신의 하루는 어땠는가? 만약 당신의 대답이 "그럭저럭 괜찮았다."라면 나는 아직 당신이 능동적이지 않은 하루를 보냈다고 생각한다. 당신에게 찾아온 기회를 지루한 것으로 만들지, 아니면 놀라운 것으로 만들지 알고 싶다면 다음의 질문에 대답해보자.

만약 이 일을 해서 비난을 받게 된다면 엄청난 충격을 받을까?

직장을 잃을까? 야구방망이로 머리를 맞을까? 아니면 중요한 친구를 잃을까? 비판의 유일한 부작용이 단지 기분 나빠지는 것이라면, 그 나쁜 감정을 실제로 가치가 있는 일을 함으로써 얻게 될 이익과 비교해야 한다. 주목을 받는다는 것은 흥미롭고, 재미있고, 유익하며, 훌륭한 일이다. 반면 나쁜 기분은 시간이 지나면 사라진다. 그러니 나쁜 기분과 이점을 비교한 후, 긍정적인 선택을 하기로 결정한 다음, 다음의 질문에 답해보라.

어떻게 하면 비평가들이 비판할 만한 것을 만들 수 있을까?

이단자가 되기 위한
유일한 조건

이단자들은 다른 사람들보다 열정적이고 열심히 일하며, 더 강력하고, 그 누구보다도 행복하다. 그리고 그들에게는 그들을 지지하는 부족이 있다. 물론 거꾸로 이단자들 역시 부족을 지지한다.

현재 상황에 도전하려면 공적 노력과 사적 노력이 모두 필요하다. 이는 다른 사람들에게 다가가 당신의 아이디어를 논쟁의 장에 올리는 것을 포함한다. 마르틴 루터가 95개 논제를 교회 정문에 붙였던 과감함과 맞먹는 일이다.

이단자가 되려면 반드시 믿음이 강해야 한다. 그러면 현재 상황에 도전하고, 위대해지기 위해 대담하게 행동하며, 진실로 존재하게 된다. 이런 사람들에게는 어른들이 찍어주는 '자신감 도장' 따위가 필요하지 않다.

당신은 스티브 잡스Steve Jobs가 월급 받으려고 일하는 모습을 상상할 수 있는가? 그가 돈을 많이 번 건 사실이지만, 그와 같은 이단자가 되기 위해 정말 중요한 건 따로 있다.

믿어야 한다.

리더 기념비

리더가 되는 일과 자부심은 얼마나 깊은 관련이 있을까?

데이비드 장David Chang은 충성스러운 부족을 거느린 환상적인 셰프다. 그의 식당들은 끊임없이 블로그에 포스팅되고, 사람들은 그의 요리를 맛보기 위해 몇 시간이고 기다린다. 손님들은 '데이비드 장은 천재'라는 리뷰와 함께 그가 만든 요리를 사진으로 찍어 블로그와 SNS에 올린다. 위대한 요리사를 기념하는 동상을 세운다면 그중 하나는 데이비드가 될 것이 분명하다.

데이비드는 이 모든 일을 자신의 영예를 위해 하는 것일까, 아니면 부족을 위해 하는 것일까? 나는 당신이 답을 알고 있다고 생각한다.

위대한 리더는 부족에만 집중한다.

티벳 불교의 승려인 페마 초드론Pema Chödrön은 캐나다 노바스코샤주의 한 수도원에 기거한다. 전 세계의 수백만 명의 사람들이 그녀를 숭배하고 그녀의 책을 읽고 그녀의 법문이 녹음된 오디오 파일을 듣고 그녀를 찾아간다. 그녀는 어떤 사람일까? 딱 3분만 그녀의 말을 들어봐도 그녀가 영예를 위해 일하는 것이 아니라는 것을 알게 될 것이다. 그녀는 다른 사람들을 돕기 위해 이 일을 하고 있다.

데이비드 장부터 페마 초드론, 시애틀이 가장 사랑하는 사서

이자 베스트셀러 작가인 낸시 펄Nancy Pearl에 이르기까지 모든 위대한 리더에게는 공통점이 있다. 관대하다는 것이다. 또한 부족이 가치 있는 것을 찾고 번영하도록 돕는다. 동시에 이들은 부족의 번영을 위해 가장 효과적인 방법은 리더인 자신이 앞에 나서서 주장하고, 관습에 도전하고, 목소리를 높임으로써 의미 있는 사람이 되는 것임을 알고 있다. 이는 용감한 행동이고, 용기는 명예를 부른다.

위대한 리더들은 관심을 원하지 않지만 관심을 이용한다. 너무 많은 관심을 받고 있는 것 같은 느낌에 직면하면 망설이기 쉽지만, 그들은 자신을 향한 관심을 부족을 통합하고 목적의식을 강화하는 데 사용한다. 그럼으로써 부족에게 희망의 빛을 비춘다.

만약 관심을 남용하면 리더는 부족에게서 무언가를 빼앗게 된다. 최고 경영자가 전리품을 빼앗아 이기적인 군주처럼 행동하기 시작하면 그는 더 이상 리더가 아니다. 그는 중요한 것을 앗아가는 도둑과도 같다.

가장 위대한 코치

암벽등반 코치인 메건 맥도널드Meghan McDonald가 팀 록Team Rock의 멤버들을 지도하는 방식은 결코 강압적이지 않다. 그녀는 지도가 필요한 사람에게 일대일로 매우 조용히 얘기한다. 메건은 그런 대화를 몇 시간 동안 수십 번 반복한다. 그녀는 가끔 팀 전체를 대상으로 이야기하지만 결코 목소리를 높이지 않는다. 그 팀에는 우는 사람도 없고, 얕보이는 사람도 없고, 괴롭힘당하는 사람도 없다.

불과 몇 주 후, 놀라운 일들이 벌어진다. 팀원들이 서로를 지도하기 시작한다. 10살짜리 초보자가 최근 전국 대회에서 돌아온 베테랑에게 충고한다. 메건이 떠나도 연습은 계속된다.

사실 스포츠 철학은 내게 큰 영향을 끼치지 않는다. 때로는 너무 비현실적이고 공격적이기 때문이다. 하지만 메건은 단순한 코치가 아니다. 그녀는 진정한 리더십을 이해하는 사람이며, 부족을 만드는 것이 무엇을 의미하는지 알고 있다.

그녀는 다른 사람들이 이끄는 방식대로 이끌지 않는다. 그래도 괜찮다! 올바른 기술, 입증된 전술, 올바른 방법, 잘못된 방법이 따로 없기 때문이다. 관리가 아닌 '이끌기로' 결정한 것, 이게 중요하다. 메건은 팀원들을 서로 연결해주고 영감을 불어넣기로 결정했다. 그녀는 결코 통제하거나 관리하지 않는다.

단단하게, 더 단단하게!

리더가 가장 집중해야 할 점은 부족을 더 단단하게 하는 것이다.

부족을 더 크게 만들고 더 많은 구성원을 얻고 더 멀리 메시지를 퍼뜨리는 것은 구미가 당기는 일이다. 그러나 이것은 단단한 부족의 효과와 대치되었을 때 흐릿해진다. 민첩성과 진정성을 바탕으로 보다 빨리 소통하는 부족이 번성한다.

더 단단한 부족은 리더의 말을 잘 따를 가능성이 더 크고, 구성원들 간에 행동과 생각을 잘 조율할 가능성이 더 크다.

스티브 잡스 이야기를 해보자. 그는 애플을 광적으로 좋아하는 이들을 부족으로 엮고 다양한 방법을 사용해 단단하게 했다. 계속해서 신제품을 만들고 그 제품들을 온라인에서 선보임으로써 부족의 눈과 귀가 한 곳으로 모이게 했다. 그리고 그것은 하나의 의식이 되었다. 그 결과 애플의 신제품은 발표회가 끝나자마자 몇 시간도 안 돼서 수백만 명, 아니 수천만 명의 사용자들한테 알려지고 입소문이 퍼졌다. 동시에 신제품 비밀 유지에 대한 스티브 잡스의 강박증으로 인해 예상치 못한 효과까지 누렸다. 애플 신제품에 대한 루머 사이트가 생겼고, 온갖 추측이 애플 팬들 사이의 대화에 더욱 불을 지폈다. 팬들은 자신이 상상하는 애플 신제품의 예상 디자인 모형을 만들어 사진을 공유하고 심지어 자신의 주장을 증명하기 위해 애플이 외부에 공개하지 않은 특허를 찾아내기도 했다.

이렇게 조직을 단단하게 하는 것은 특별한 테크닉이 없어도 가능하다. 심지어 이윤 동기가 없을 때에도 일어날 수 있다. 컨설팅 회사 페라지 그린라이트의 대표인 키스 페라지Keith Ferrazzi는 배우 맥 라이언Meg Ryan에서 보스턴 필하모닉의 지휘자 벤 잰더Ben Zander에 이르기까지 똑똑한 유명인사들과 오피니언 리더로 이루어진 부족을 이끌고 있다. 똑똑하고 유명하고 여론을 주도하는 사람들이 모인 부족이니 리더 노릇이 꽤나 힘들 수도 있다. 그러나 페라지는 부족원들의 결속력을 강화하는 것만으로 이 부족을 이끌고 있다. 그가 쓰는 방법은 이렇다. 부족원들을 저녁 식사에 초대한 후 서로에게 서로를 소개해준다. 그리고 그들 사이의 공통의 관심사를 찾도록 도와주고 그는 그 자리에서 사라진다.

부족을 단단하게 하기 위한
전술과 도구

인터넷과 SNS가 폭발적으로 발전하면서 마케팅은 그 어느 때보다도 더 쉬워졌다.

첫 번째 종류의 마케팅, 즉 지금까지 도달하지 못했던 지점에 도달해 말을 퍼뜨리는 행위는 모든 종류의 부족을 형성할 수 있게 한다. 밋업과 크레이그스리스트같은 사이트는 그동안 연결되지 않던 사람들이 쉽게 연결되도록 한다.

나는 두 번째 종류의 마케팅에 더 관심이 있다. 조직을 더 견고하게 하고 부족 내에서 말을 퍼뜨리는 것이다.

이런 종류의 마케팅을 잘 보여주는 것이 블로그다. 블로그 사용자는 큰 노력 없이도 사람들에게 정기적으로 메시지를 보낼 수 있다. 그것도 무료로! 그리고 블로그의 팬들, 즉 부족원들은 댓글과 트랙백을 이용해 서로 소통할 수도 있다. 그들 사이에서는 논의가 빠르게 이루어지고, 아이디어가 공유되며, 무언가 결정이 내려지기도 한다.

리더의 생각을 전파하는 블로그의 영향력에 대해 이야기하자면 책을 하나 쓸 수 있을 정도다. 예를 들어 체제에 대항한다는 이유로 이전에는 출간되지 않았던 시인의 작품이 세상에 그 모습을 드러낼 수 있다. 물론 시인이 원한다면 말이다. 훌륭한 생각과 가치는 퍼져나갈 것이다. 이러한 확산을 통해 부족을 만들 수 있으며, 그 익명의 시인은 리더가 되는 것이다.

블로그는 이미 존재하는 조직 내에서도 영향력을 발휘한다. 앞서 말했듯이 나는 1984년에 엔지니어들에게 활력을 불어넣기 위해 종이 소식지를 만들었다. 그러나 이제는 블로그를 이용하면 된다. 더 많은 사람들에게 더 강하게 메시지를 보낼 수 있다. 블로그만의 독창적인 아이디어를 활용하면 누구든 인터넷상에서 부족을 만들고 또 결속력을 강화할 수 있다.

트위터도 비슷하다. 만약 트위터에 몇 글자의 소식을 올리면, 그 글을 꼼꼼하게 읽어줄 수천 명의 팔로워들에게 전달된다.

한편 페이스북은 글자 수에 제한을 두는 트위터와 반대 방향으로 작동한다. 페이스북은 거대한 양의 이미지와 텍스트를 허용한다. 또한 사람들이 소셜 그래프라고 칭하는 것을 표면화한다. 당신이 아는 사람이 누군지, 그들을 당신이 어떻게 아는지, 누가 누구를 아는지 등이 수면 위로 올라온다. 페이스북은 부족의 숨겨진 세계를 밝은 디지털의 빛으로 비춘다.

베이스캠프는 온라인 상호작용의 또 다른 형태로서 트위터나 페이스북과는 매우 다르다. 이 애플리케이션은 계획적인 프로젝트 관리 및 작업 추적에 적합하다. 베이스캠프는 개인의 이메일함이나 노트필기에 접근하게 해줌으로써 부족 전체가 진행 상황을 쉽게 추적하게 돕고 프로젝트의 가속도를 높일 수 있도록 돕는다.

　물론 이런 도구들이 리더십과 노력, 관대함을 대신할 수는 없다. 하지만 이러한 것들을 적절히 사용하면 당신의 부족에 누가 있든지 간에 리더십을 더 강력하게 만들고 부족 전체의 생산성을 높이는 데 도움이 된다.

불편함

리더십을 발휘할 때는 어느 정도의 불편을 감수해야 한다. 그러나 불편을 감수하려는 사람이 적기 때문에 리더십은 늘 부족하다. 그렇기 때문에 리더십은 더욱 가치 있다. 만약 모든 사람이 항상 이끌려고 한다면 별다른 일이 일어나지 않을 것이다. 리더십과 영향력을 발휘하는 것은 불편한 일이다.

다시 말해서 모두가 할 수 있는 일이라면 모두가 할 것이고, 이는 가치 있는 일이 아닐 것이다.

낯선 사람들 앞에 나서는 것은 불편하다.
실패할 수도 있는 아이디어를 제안하는 것은 불편하다.
현재 상황에 도전하는 것은 불편하다.
정착하고 싶은 욕구에 저항하는 것은 불편하다.

불편함을 느낀다면, 다시 말해 불편한 일을 하고 싶은 자신의 마음을 알아챘다면, 리더가 필요한 곳을 찾았다는 뜻이다.

만약 당신이 리더로서 일하는 것에 불편함이 없다면, 리더로서 당신의 잠재력을 끌어내지 못하고 있는 것이 거의 확실하다.

무조건 따르는 자와
능동적으로 따르는 자

물론 부족은 리더뿐만 아니라 추종자도 필요하다. 하지만 여기에서 추종자란 '수동적으로 따르는 사람들'을 말하는 것이 아니라, 능동적으로 뒤따르기를 열망하는 사람들을 말한다. 조직은 이들을 필요로 한다.

눈이 먼 양처럼 리더를 무조건 따르는 사람들이 최고의 추종자라고 생각하는 우를 범하면 안 된다. 아무 생각 없이 지시를 무조건 따르기만 하는 사람들은 당신을 두 가지 방법으로 실망시킨다.

첫째, 무조건 따르는 사람들은 부족원들이 상호작용할 때 필요한 현장 리더십을 수행하지 않을 것이다. 그들은 짜인 각본대로 행동하느라 너무 바쁘다. 그 결과 꽉 막힌 조직을 활기찬 부족으로 변화시키는 상호작용에 소극적일 것이다. 사람들은 서로에게 현재 상황을 상기하려는 목적으로는 상호작용에 참여하지 않는다. 무언가를 개선하기를 갈망할 때 열심히 참여한다. 부족원이 발휘하는 소소한 리더십은 조직의 건강에 필수적이다.

둘째, 무조건 따르는 사람들은 새로운 부족원을 모집하는 일을 잘하지 못할 것이다. 사람들을 끌어 모으는 일에는 리더십이 필요하기 때문이다. 남들에게 기존의 세계관을 포기하고 자신이 제시하는 세계관을 받아들이도록 하는 일은 쉽지 않고 항상 불편한 일이다.

정치 운동 집단, 비영리 단체, 혹은 한 브랜드의 열혈팬 등 활기찬 집단을 생각해보라. 그 집단을 뛰어나게 만드는 것은 표면적으로 한 집단을 이끄는 책임자가 아니다. 참호 속의 '마이크로 리더'들과 그들의 열광적인 추종자들이다.

적극적으로 움직이기 vs
물러서기 vs
아무것도 하지 않기

사람들이 모여 있는 모임이나 집단 또는 조직에는 어느 누구도 아무 일도 하지 않는 공백의 시기가 있다. 모든 사람이 서로 눈치를 보며 누군가 나서서 파티의 시작을 알리기를 바라는 칵테일 파티의 초기 단계를 생각해보라. 혹은 쇼핑하려고 온 사람들로 가득하지만 에너지나 흥분을 일으킬 만한 것이 아무것도 없이 모든 점포의 문과 창문이 판자로 막혀 있는 개장 전 쇼핑몰을 상상해보라. 그런 곳에는 부족이 없고, 아무런 움직임 없이 집단으로 고립된 개인들뿐이다.

리더는 그 공백에 발을 들여놓고, 무엇이 어떻게 사람들을 움직이는지 알아낸다. 한 집단을 하나의 부족으로 변화시킬 수 있는 운동을 일으키기 위해 열심히 일한다.

학생은 교실에 앉아 선생님이 가르치는 것을 받아들이고 학업을 이수하여 그럭저럭 지낼 수 있다. 아니면 솔선수범해서 이끌 수도 있다. 도발하고, 질문하고, 더 많은 것을 요구할 수 있다.

마케터는 기존 고객에게 상품을 보여주고 주문을 받고 승진을 할 수 있다. 아니면 잠재 고객과의 상호작용을 통해 더 많은 것을 창조할 수 있고, 놀라움과 기쁨을 줄 수 있다. 고객을 그 이상의 사람, 즉 팬으로 만들 수 있다.

2008년 봄, 나는 학생들을 위한 유급 여름 인턴십을 발표했다. 전 세계에서 뛰어난 학생 130명 이상이 지원했다. 나는 지원자들을 위한 비공개 페이스북 그룹을 만들고 한 사람 한 사람을 초대했다. 그들 중 60명이 바로 그룹에 들어왔다. 그들은 아직 부족이 되지 않았고, 단지 60명의 낯선 사람들이 온라인 그룹에 모여 있는 상태였다.

그러나 몇 시간이 지나자 몇몇 학생들이 앞장서서 주제를 게시하고 토론을 시작했다. 그들은 그 그룹을 이끄는 리더가 되었다. 그들은 동료들에게 그룹에 적극적으로 기여하고 참여할 것을 요구했다.

그렇다면 나머지 학생들은 어땠을까? 그들은 존재를 드러내지 않았다. 그저 조용히 지켜볼 뿐이었다. 그들은 생기지 않을 일들을 두려워하며 숨어 있었다.

당신이 만약 고용주라면 누구를 선택하겠는가?

조용히 지켜보며 존재감조차 없는 학생들은 자신이 선발될 것이라고 여길 수 있겠는가? 아무것도 하지 않고 지켜보는 것만으로도 흥미로운 사람을 만나고 새로운 것을 발견할 수 있으리라 여기는 걸까?

이 실험은 외부효과나 별도의 토론, 혹은 특이 케이스가 없다는 점에서 완벽했다. 60명에 달하는 사람들 모두 자연스럽게 행동하도록 유도할 수 있었다.

모든 리더가 언제나 부족원들이 어떠한 일을 하도록 추동하는 것은 아니다. 효과적으로 뒤로 물러서는 것 또한 무언가를 추동하는 것만큼의 노력이 필요하다. 지미 웨일즈는 위키피디아를 이끌기 위해 사람들을 선동하지 않는다. 그는 다른 사람들이 공백을 메울 수 있게 함으로써 이끌고 있다. 인턴십 지원 실험에서도 마찬가지로 나 역시 모든 단계에서 추동하거나 이끌지는 않았다. 그들의 무대를 만들어주고 뒤로 물러나 있는 것을 포함했다.

한편 가장 효과가 없으면서 사람들이 흔히 선택하는 길이 있다. 아무것도 하지 않는 것이다. 아무것도 하지 않으면 안전하다고 느껴지며 노력도 거의 들지 않는다. 여기에는 많은 합리화와 약간의 은폐도 포함된다.

물러서는 것과 아무것도 하지 않는 것의 차이는 알아채기 힘들 수 있지만 그렇지 않다. 물러서 있는 리더는 여전히 부족에 헌신하고 있으며 개입해야 할 적절한 타이밍을 포착하기 위해 긴장 상태를 유지하고 있다. 아무것도 하지 않는 사람은 단지 숨어 있을 뿐이다.

리더십은 선택이다. 아무것도 하지 않는 것 역시 선택이다. 당신은 무엇을 선택하겠는가?

몸을 뒤로 기울여 물러나 있되 손을 놓고 있지는 마라.

참여하는 것은
이끄는 것이 아니다

수많은 페이스북 이용자들 중 절대다수가 페이스북 그룹에 가입하는 것이 중요하다는 잘못된 생각을 가지고 있다. 하지만 그룹에 가입하는 것 자체는 그리 중요하지 않다.

가입신청서를 내고 네트워크 리셉션에 참석하고 바에서 사람들과 사귀는 것만으로는 부족을 이끈다고 할 수 없다. 또한 이것이 유능한 구성원으로 인정받는 좋은 방법도 아니다.

참석하는 것만으로는 충분치 않다. 페이스북에서 10명 혹은 2만 명의 사람들과 친구를 맺으면 당신의 자존심이 높아질 수는 있지만, 이는 성공하기 위한 유용한 방법과는 거리가 멀다.

적극적인 리더와
물러서 있는 리더의 차이

크로스핏닷컴(CrossFit.com)은 약간 혹은 매우 미쳐 있는 피트니스 광신도로 이루어진 부족이다. 이들은 언제든 아래의 루틴을 수행할 수 있는 사람들이다.

> 핸드스탠드 푸시업 15회, 풀업 1회, 핸드스탠드 푸시업 13회,
> 풀업 3회, 핸드스탠드 푸시업 11회, 풀업 5회, 핸드스탠드 푸
> 시업 9회, 풀업 7회, 핸드스탠드 푸시업 7회, 풀업 9회, 핸드
> 스탠드 푸시업 5회, 풀업 11회, 핸드스탠드 푸시업 3회, 풀업
> 13회, 핸드스탠드 푸시업 1회, 풀업 15회.

그리고 그들은 전 세계 수천 명의 사람들과 정해진 시간 내에 누가 이 루틴을 빨리 하는지 경쟁할 것이다. 내가 사이트를 확인했을 때, 무려 400명 이상의 사람들이 이 루틴을 하는 데 걸린 시간이 얼마나 짧은지 자랑이라도 하듯 자신의 운동성과를 당당히 올려놓았다.

크로스핏 트레이너 인증 과정은 전국에서 실시된다. 신청은 항상 몇 주 또는 몇 달 전에 마감된다. 점점 더 많은 트레이너들이 전 세계에 피트니스 센터를 개설하고, 각 센터는 중앙 웹사이트

를 통해 조직화된 크로스핏 부족의 새로운 부족원을 찾고 있다.

크로스핏 부족은 나날이 더 강해진다. 이들의 코치인 그레그 글라스만Greg Glassman 덕분에 가능했다. 크로스핏의 창시자인 그는 처음부터 크로스핏 부족을 건설했고, 영감을 주고, 회유하고, 규칙을 정했다. 그가 없으면 부족도 존재하지 않는다.

글라스만은 본능적으로 부족을 이끄는 방법을 알고 있다. 그는 매일 그들을 극한으로 몰아갔다. 그는 부족원들에게 서로 뉴스와 아이디어, 동지애를 나누고 싶은 욕구가 있음을 알았다. 따라서 실제로 그것이 가능한 환경을 만든 것이다. 부족원들은 자신들의 부족을 대표해 자긍심을 가지고 새로운 구성원을 모집하고 발굴했고, 그 덕분에 크로스핏 부족은 성장할 수 있었다.

이것을 내가 《뉴욕타임즈》에서 본 웹사이트인 '페이션츠라이크미닷컴patientslikeme.com'과 비교해보자. 언뜻 보면 리더가 없어 보이는 부족이다. 그 부족에는 그들의 진단 내용과 건강 상태를 모두 공유하는 7000명 이상의 아픈 사람들과 그들의 보호자들이 있다. 이 단체는 복용량에서 부작용에 이르기까지, 파킨슨병을 비롯한 여러 질병의 치료에 관한 실제 자료의 데이터베이스를 지속적으로 구축하고 있다. 그리고 그들은 서로를 진심으로 지지하고 위로한다.

이곳에는 그들을 응원하는 글라스만이나 오프라 윈프리는 없다. 하지만 그들은 서로를 응원하고 있다. 다른 사람들은 그들이 겪고 있는 고통을 이해할 수 없기 때문이다.

앞에서도 말했지만 이 사이트에는 리더가 없어 보이지만, 페이션츠라이크미닷컴의 설립자들은 진정한 리더라 할 수 있다. 그들은 소통이 간절한 부족을 찾아낸 후 그들이 서로 원활히 소통할 수 있도록 돕는 도구를 제공했다. 그들은 부족을 더 단단하게 만들었다. 이것 또한 리더십이다.

뒤로 물러서는 것은 아무것도 하지 않는 것과 다르다.

호기심이 들려주는 이야기

원리원칙을 중요시하는 사람들은 사실을 탐구하기 전에 자신의 소신과 상충되는지 여부를 고려한다. 여기에서 원리원칙이란 종교가 아닌 세계관 혹은 미래를 보는 전망을 이야기한다.

반대로 호기심이 많은 사람들은 먼저 탐구하고 나서 그 결과를 받아들일지 말지를 고민한다. 다시 말해 원래 자신에게 중요한 것과 새로운 것 사이에서 생기는 내적 갈등을 겪은 후 새로운 것을 받아들일지 아니면 거부할지를 결정한다.

부족을 논할 때 호기심은 중요한 단어다. 호기심은 수입이나 교육과 무관하다. 이미 단단히 구축된 믿음과도 관계없다. 호기심은 이해하고 시도하려는 욕망과 관계가 있다. 리더는 부족이 다음에 무엇을 할지 빨리 알고 싶어 하고 궁금해한다. 호기심이 중요한 이유는 호기심이 부족을 움직이게 만들고, 거기에서 변화가 시작되기 때문이다.

호기심이 많은 사람들은 중요하다. 단순히 호기심이 많다는 사실 자체가 중요한 게 아니라, 그들이 궁금한 것을 못 참기 때문에 중요하다. 인사불성인 사람에게까지 말을 걸어 호기심을 해소할 정도로 행동력이 있는 그들은, 고착되어 있는 대중을 끌어낸다. 고착된 대중은 아무것도 하지 않는 것이 안전하다고 생각하도록 세뇌되었고, 호기심 많은 사람들은 그런 걸 참지 못한다.

많은 사람들이 호기심을 과소평가한다. 그러나 호기심을 갖기란 정말 어려운 일이다. 보통 사람들은 7년, 10년, 심지어는 15년 동안 학교를 다니며 호기심을 갖지 않도록 교육받는다. 그뿐인가? 호기심이 많은 학생들은 종종 벌을 받기도 했을 것이다.

물론 어느 날 갑자기 당신이 호기심으로 가득한 사람이 되진 않을 것이다. 그러나 앞으로 5년, 10년, 혹은 15년 동안 자신의 목소리를 찾기 위해 노력한다면 어떻게 될까? 그동안 안전하다고 생각했던 것들이 위험하게 여겨지고, 위험하다고 생각했던 것들이 안전하다는 것을 깨달을 수 있으리라.

한번 깨달으면, 조용하지만 끈질긴 호기심의 목소리는 영원히 사라지지 않을 것이다. 그리고 호기심은 평범함을 비범함으로 이끌 수 있다.

모두를 이끌려고 하면
아무도 이끌지 못한다

선거에서 승리하기 위해서는 과반수를 득표해야 한다. 과반수 인구 또는 과반수 유권자의 지지를 받아야 승리할 수 있다.

그러나 한 부족을 이끄는 데는 과반수 법칙이 적용되지 않는다. 당신이 해야 할 일은 많은 사람을 끌어모으는 것이 아니라 당신을 따르기로 선택한 사람들에게 동기를 부여하는 것이다. 사람들에게는 당신을 따르길 거부하고, 당신의 의견에 동의하지 않고, 당신을 무시하고 지나갈 자유가 있다.

모든 미국인이 스타벅스 커피를 마시는 것은 아니다. 뉴욕 뜨개질 협회도 소수의 사람에게만 어필한다. 모든 사람을 아우르지 않거나 소수에게만 어필하는 것은 그리 나쁜 일이 아니다. 당신이 부족을 이끌 때는 많은 사람이 필요하지 않고, 과반수도 필요하지 않다. 사실 거의 모든 경우, 모두를 이끌려고 노력하면 아무도 이끌지 못하는 결과를 초래한다.

모두가 아닌 몇몇 사람일지라도 당신은 당신을 따르고자 하는 부족원들을 선택할 수 있다. 그들은 당신이 전달하는 메시지와 일치하는 세계관을 가진 사람들이다.

만약 당신이 이끄는 부족이 지구 온난화와 싸워 지구를 구하는 것에 초점을 두고 있다면 그 부족원들은 지구 온난화는 심각한 문제이고 그들의 노력으로 그 문제를 해결할 수 있다는 세계관을 가지고 있을 것이다. 그들은 그러한 마음가짐으로 부족에 참여할 것이고 당신의 리더십은 그들 사이로 퍼져나갈 것이다. 반면에 만약 당신이 당신과 완전히 다른 관점을 가진 사람들을 설득하려 한다면 그들은 당신을 거부할 것이다.

그런데 앨 고어의 경우 사람들의 성향이나 세계관 등을 알지 못하는 상태에서 부족을 만들고 이끌기 시작했다. 어떻게 된 것일까? 그는 자신의 관점을 고수하며 나아갔고, 지구 온난화 문제가 중요하다고 생각하던 사람들이 그를 찾아내 따르기로 결정한 것이다.

사람들은 근본적으로 원하는 게 가슴속에 이미 있고, 누군가가 원하는 것을 이루기 위한 방향을 제시하면 쉽게 이끌린다. 이런 속성이 당신의 독창성이나 영향력을 제한하는 것처럼 보일지라도, 사람들이 이미 원하던 곳으로 이끌린다는 사실은 변하지 않는다. 폭스뉴스Fox News는 수백만의 사람들이 보수주의자가 되도록 설득하지 않았다. 단지 부족을 모아 그들이 이미 향하길 원하던 곳으로 이끌었을 뿐이다.

자발성의 힘

두 교실을 상상해보자. 한 반에는 15명의 학생이, 다른 반에는 32명의 학생이 있다. 각 교실을 담당하는 교사의 조건은 비슷하다. 어느 반이 더 나은 교육을 받을 수 있을까? 학생 수가 적은 쪽이 더 좋은 교육을 받을 것이다. 소규모 학급을 담당하는 교사는 각각의 학생에게 알맞은 교육을 할 수 있는 시간이 더 많이 주어진다. 각각의 학생에게 더 집중할 수 있기 때문이다.

자, 이제 그 실험을 뒤집어보자. 만약 15명의 학생들은 졸업을 위해 마지못해 수업을 듣고, 32명의 학생들은 상급 학교에 진학하길 기다리며 들떠 있는 상태라면 어떨까? 상대가 되지 않을 것이다.

나는 자발성의 힘에 대해 이야기하고 있다. 부족은 점점 더 자발적으로 변하고 있다. 시대가 변하고 있다. 아무도 당신의 회사를 위해 일하거나 서비스에 주목하도록 강요받지 않는다. 누구나 자유롭게 어떤 음악을 듣고 어떤 영화를 볼지 선택할 수 있다.

그래서 위대한 리더는 모두를 기쁘게 하려고 하지 않는다. 부족을 좀 더 크게 만들기 위해 자신이 가진 메시지의 힘을 약화시키는 일을 하지 않는다. 동기가 있고 부족원들끼리 긴밀하게 연결되어 있는 부족이, 단순히 규모가 큰 부족보다 훨씬 더 강력하다는 것을 알기 때문이다.

모두를 포용하는 부족과 배타적 부족

어떤 기업은 규모가 커질수록 더 좋은 기업이 된다고 생각한다. 몇몇 비영리 단체 또한 마찬가지이다.

아예 틀린 말은 아니다. 규모가 더 커질 때 더 일을 잘하는 경우가 많다. 예를 들어 정당은 지지자들이 많을수록 번영한다. 페이스북은 많은 이용자가 있기 때문에 인기를 얻고 돈을 벌 수 있는 것이다. 모두가 팩스를 쓰기 때문에 이메일이 있는 지금도 팩스가 사라지지 않는 것이다.

하지만 커지는 것이 항상 정답인 것은 아니다. 어떤 부족은 작아야 더 잘 돌아간다. 작아야 좋은 종류의 부족을 더 크게 만들기 위해 밀어붙이면 모든 것을 망칠 수 있다. 어쩌면 이런 소리를 들을 수도 있다. "아, 거기? 이제 아무도 거기 가고 싶어 하지 않아. 너무 인기에만 치중하는 것 같거든."

이것은 언제나 선택의 문제다. 바로 리더인 당신이 선택할 문제다.

대부분의 사람들은
그렇게 중요하지 않다

대부분의 사람들은 예전부터 사오던 걸 구매하기 때문에 마케터들은 그들에게 더 이상 관심을 주지 않는다.

대부분의 사람들은 튀지 않으려고 하다 보니 평범해져서 남들 눈에 띄지 않는다.

대부분의 사람들은 예전에 가본 식당에서 예전에 먹었던 것을 먹기를 선호한다.

대부분의 사람들은 세상이 지금 이대로 유지되길 바라지만 기왕이면 좀 더 차분해지길 바란다.

대부분의 사람들은 겁이 많다.

대부분의 사람들은 호기심이 많지 않다.

당신은 '대부분의 사람들'이 아니다.

당신은 대부분의 마케터들의 목표가 아니다.

당신은 매니저가 아니다.

당신은 대부분의 사람들을 좇으면서 경력을 쌓거나 사업을 키우거나 부족을 먹여 살릴 수는 없다. 대부분의 사람들은 새로운 트렌드나 훌륭한 직원, 좋은 아이디어를 무시하는 데 정말 능하다. 대부분의 사람들은 리더가 아닐 뿐더러 중요한 부족의 일원도 아니다.

당신은 대부분의 사람들을 종일 걱정할 수 있지만 나는 그들이 당신을 걱정하지 않는다고 확신한다. 당신이 아무리 소리를 질러도 그들에게 들리지 않는다.

당신이 대부분의 사람들과 다를 때, 그리고 당신이 대부분의 사람들이 아닌 사람들에게 어필하기 위해 노력할 때 비로소 성장하고 성공할 수 있는 길이 보일 것이다.

리더가 되는 것이
왜 무서울까?

당신은 하루를 어떻게 보내는가?

변화를 꿈꾸는가, 아니면 지금 있는 그대로의 현재에 집착하는가?

이단자들은 미래의 계획에 따라 하루를 보낸다. 그들은 현재 상황을 바꾸면 이익이 더 커질 뿐만 아니라 훨씬 즐거워진다는 것을 알고 있다.

그럼에도 많은 사람들은 이단자와 아웃사이더, 선동가가 된다는 것을 무섭게 생각한다.

왜 그렇게 생각하는 걸까?

찬양받는 이단자들

사람들은 이단자들을 말뚝에 묶어 화형에 처한다. 물에 빠뜨리고, 비난하고, 무시하고, 거꾸로 매달아놓고 매를 치기도 한다.

나는 과거 시제를 사용했어야 했다. 왜냐하면 이제 더 이상 사실이 아니기 때문이다. 이단자들은 말뚝에 묶이는 대신 다보스 포럼에 초청된다. 회사를 상장시켜 큰돈을 번다. 이단자들은 의회에 진출하기도 한다. 이단자들은 단지 자신이 하는 일을 좋아하는 것에서 그치는 것이 아니라, 전용기를 타고 승승장구할 수 있을 정도로 성공의 길을 걷고 있다.

말뚝과 화형의 기억은 너무 강렬해서 쉽게 잊히지 않는다. 이단자들을 옥죄었던 효과적인 방식이었다. 하지만 이제는 한물갔다. 마케팅이 이를 확실하게 보여주었다. 우리는 마케팅의 힘으로 아침 식사로 콜라를 마시고 800달러짜리 가방을 사는 시대를 살고 있다.

이제는 이단자의 수가 너무 많아서 화형에 처할 수 없다. 거꾸로 세상은 그들을 찬양한다.

우선 저지르고 봐라!

이 책을 통해 내가 말하고 싶은 핵심에 거의 도달해간다. 그러나 독자들 중 몇몇은 잘못된 질문을 하고 싶어 안달이 나 있을 것이다. 가령 이런 질문 말이다.

"내가 어떻게 그 일을 하지?"

이보다 더 안 좋은 질문은 다음과 같다.

"내가 어떻게 보스를 설득하지?"

비유를 사용하지 않고 다시 질문하면 다음과 같다.

"어떻게 해야 조직이나 시스템 안에서 위험부담 없이 변화를 만드는 일을 시도할 수 있을까?"

화형에 처해지지 않고 변화를 만드는 방법이 정말 있을까? 물론 있다. 그러한 방법이 있는 것으로 밝혀졌고, 당신 또한 그것이 무엇인지 이미 알고 있다. 바로 변화에 대한 믿음이다.

변화에 대한 당신의 생각을 듣고 점잖게 고개를 끄덕이며 "그럼, 가서 그렇게 해."라고 말할 사람은 아무도 없다. 아무도 당신을 리더로 임명하지 않는다. 아무도 당신의 프레젠테이션을 보고 선뜻 투자하지 않을 것이다.

변화는 허락을 구함으로써 이루어지는 것이 아니다. 우선 저지르고 용서를 구함으로써 변화가 이루어진다.

리더가 되기 위해
알아야 할 단 두 가지

우선 당신이 알아야 할 첫 번째 사실. 역사상 그 어느 때보다도 한 개인이 가질 수 있는 힘이 크다. 한 사람이 산업 전체를 바꿀 수 있다. 한 사람이 전쟁을 선포할 수도 있다. 한 사람이 과학, 정치, 혹은 기술을 재창조할 수도 있다.

그 다음으로 알아야 하는 사실. 당신이 현재 상황을 바꾸는 것을 막는 단 하나의 요소는 '믿음의 결여'다. 당신은 할 수 있다고 믿어야 한다. 그럴 가치가 있다고 믿어야 한다. 실패가 당신을 파멸시키지 않을 것임을 믿어야 한다.

기존의 문화는 변화를 거부한다. 우리 사회의 시스템과 조직과 기준은 사람들이 현재 상황에 도전하는 것을 단념시키기 위해 고안되었다. 우리는 시스템에 도전하는 사람들을 이단자라 부른다. 그리고 사회는(말 그대로든 비유적으로든) 이단자들을 화형에 처함으로써 시스템과 기준을 강요한다.

그러나 세상이 변했다. 당신이 가는 곳마다 이단자들이 있다. 이단자를 화형에 처하는 것은 더 이상 특별히 효과적이지 않다. 그 결과 점점 더 많은 사람들, 즉 좋은 사람들, 임무를 수행하는 사람들, 아이디어를 가진 중요한 사람들이 나서서 변화를 일으키고 있다.

모든 시스템이 비대칭적으로 변했다. 모든 과정도 뒤집혔다. 이제 규모는 힘과 비례하지 않는다. 심지어 큰 조직은 더 쉽게 타격받을 수 있다. 정치나 경제뿐만 아니라 심지어 종교도 예외는 없다. 우리는 이런 변화를 새로운 종교에서도 봤고, 탄산음료 시장에서도 봤고, 이라크 전쟁에서도 봤다. 개인이나 작은 그룹은 기존의 시스템을 뒤집을 만한 힘이 있다.

이제 우리는 이단자들을 '리더'라고 부른다. 이단자들은 승리하고 있다. 당신도 승리할 수 있다. 아니, 승리해야 한다.

풍선공장과 유니콘

풍선공장에 가본 적이 있는가? 아마도 없을 것이다.

풍선공장에서 일하는 사람들은 소심하다. 그리고 걱정이 많다. 핀, 바늘, 그리고 고슴도치 등을 걱정하며 주변에 그런 것이 있을까 봐 늘 노심초사한다. 급격한 기온 변화도 좋아하지 않는다. 날카로운 물건도 그들에게 문제다.

그러나 풍선공장이 일하기 나쁜 곳은 아니다. 새해 전후로 조금 바쁘지만 안정적인 직장이다. 대개 조용하고 평화롭다. 공포에 떨 일도 없다. 유니콘이 나타났을 때를 제외하고 말이다.

유니콘이 나타나면 풍선공장 사람들은 우선 "쉿! 조용히 해!"라고 말한 다음, 유니콘에게 이곳을 떠나라고 경고한다. 효과가 있다. 그러나 때때로 유니콘은 풍선공장 사람들을 무시하고 공장 안을 어슬렁거린다. 그러면 모두가 숨기 위해 도망간다. 그렇게 되면 유니콘이 풍선공장을 완벽하게 파괴하는 것은 놀랍도록 쉽다. 왜냐하면 공장은 하나의 생각, 부드럽고 조용한 안정감을 중심으로 조직되어 있기 때문에 모든 것을 바꿔버리는 유니콘이 일으키는 변화에 적응하지 못하는 것이다.

풍선공장은 현재 상황과 질서다.

그리고 리더는 현재 상황과 질서를 바꾸려고 한다.

당신은 유니콘이 되어야 한다.

진정한 리더는 이타적이다

오늘날 정치와 미디어 환경은 긴장 상태에 놓여 있다. 이럴 때 리더는 자기중심적으로 행동하기 쉽다. 또한 본인을 미화하고 지위를 높임으로써 추진력 있는 슈퍼스타가 되어야 한다고 믿기 쉽다.

하지만 실상은 그 반대다.

무엇보다 중요한 것은 다름 아닌 리더의 진심과 의도다.

나누려 하는 리더가 받으려고만 하는 리더보다 결국 더 큰 힘을 가지게 되고, 부족에 생산적인 기여를 하게 된다. 부족원들은 누군가가 자신들의 환심을 사려 하면 그 의도를 쉽게 알아차릴 수 있다. 리더가 1등이 되려고만 하면 결국 아무것도 돌아오지 않는다.

진짜 리더들은 남들에게 보이는 것을 신경 쓰지 않는다. 크고 화려하지 않은, 작은 방을 사장실로 쓰는 리더가 많다. 성공한 종교인들은 개인 전용기도 없고 초호화 리무진도 타지 않는다. 그리고 자신의 할 일에 더 집중한다. 미국 전 대통령 지미 카터 Jimmy Carter는 무주택자들을 위한 집짓기 봉사활동을 활발히 전개한다. 이런 리더들은 금전적 보상이나 지위 상승을 보상이라고 여기지 않는다. 대신 부족이 번성하는 것 자체를 자신의 보상으로 삼는다.

부족을 이끌 가능성이 더 많은 사람에게 개방된 지금, 리더가 될 기회를 잡거나 성공적으로 이끄는 사람들은 대부분 부족이 그들에게 무엇을 해주기 때문이 아니라 그들이 부족에게 해줄 수 있는 무엇인가가 있기 때문에 이끌기로 선택했다. 매우 흥미로운 일이다.

빅맥과 전자레인지가 주는 교훈

1967년, 펜실베이니아주 피츠버그 유니언타운에서 12개의 맥도날드 점포를 운영하던 짐 델리게티Jim Delligatti는 룰을 깨고 새로운 햄버거를 개발하기로 결심했다. 맥도날드 주변에는 빅보이와 버거킹이 있었고, 각각 더블데커와 와퍼를 내세워 엄청난 인기를 끌고 있었다. 짐은 맥도날드의 기존 메뉴로는 경쟁하기 힘들다고 판단했다.

당시 피츠버그는 제철산업의 중심지였고 음식점들은 공장에서 육체노동을 한 노동자들을 대상으로 영업했다. 짐은 노동자들 이야기에 귀를 기울였고, 맥도날드의 기존 치즈버거는 노동자들에게 한 끼 식사로 많이 부족하다는 사실을 알아냈다. 그는 본사를 설득해 소고기 패티 2장과 빵 1장이 추가로 중간에 들어간 45센트짜리 '빅맥'을 선보였다. 그리고 1년 후 빅맥은 전 세계 맥도날드 메뉴판에 올랐고, 맥도날드 매출액의 상당부분이 빅맥에서 나오게 되었다. 이 새로운 햄버거는 돌풍을 일으켜 전 세계 모든 맥도날드 매장 메뉴판에 추가되었다. 인도에서 빅맥의 고기 없는 버전까지 출시할 정도였다.

짐은 많은 비용을 들여 그의 매장을 경영하지 않았다. 대신 그는 리더가 되었다. 맥도날드 본사로부터 공식적인 직책을 받지는 않았지만 그는 기업 전체를 새로운 방향으로 이끌기에 충분한 리더가 된 것이다.

미국의 방위산업체 레이시온의 연구원이었던 퍼시 스펜서 Percy Spencer는 아주 우연히 전자레인지를 발명하게 되었다. 그는 레이더 장비 개발 프로젝트를 맡아 진행하고 있었는데, 어느 날 레이더 장비에 쓸 마그네트론(진공관의 일종)를 연구하던 중 이상한 일이 벌어졌다. 주머니에 넣어놨던 초콜릿 바가 녹아버린 것이었다. 주위를 아무리 살펴도 사탕을 녹일 만큼 뜨거운 열은 찾을 수 없었다. 이상하다는 생각에, 이번에는 옥수수 알갱이를 그릇에 담아 마그네트론 근처에 놓아보았다. 그러자 옥수수 알갱이가 터졌다. 이 현상이 마그네트론이 방출하는 마이크로파 때문일 거라고 생각한 그는 다시 금속 상자에 마그네트론을 설치하여 마이크로파가 탈출할 수 없는 장비를 만든 뒤, 다양한 식품을 담아 작동시켰다. 마치 기적처럼, 음식물은 불이 없는데도 따뜻해졌다.

레이시온은 1945년 특허를 등록하고 곧바로 전자레인지 생산에 들어갔다. 그리고 처음 나온 제품이 높이 167cm, 무게 340kg에 이르는 '레이더레인지'였다. 크고 육중했지만 냉동된 식품을 빨리 녹일 수 있다는 장점 때문에 레스토랑과 항공사 등에 많이 팔렸다. 그 뒤 1952년부터 가정용으로도 생산되었으며, 1970년 이후에는 어느 집에나 하나씩 있는 필수품이 되었다.

이 놀라운 이야기들은 얼마나 드문 경우인가! 포스트잇의 우연한 발명에 대해 당신도 들어본 적이 있을 텐데, 그 이유는 이러한 사례들이 매우 드물었기 때문이다.

지금까지 무언가를 해낸 사람들은 대개 피라미드의 꼭대기에서 출발했거나 매우 운이 좋은 사람들이었다. 이때 사용한 지렛대는 현금과 조직적 헌신이었다. 빌 게이츠나 잭 웰치Jack Welch나 린든 존슨Lyndon B. Johnson이 좋은 아이디어를 생각해내면 훨씬 쉽게 목표에 도달할 수 있었다. 보통 사람들은 아이디어가 있어도 수행하기 힘들었다. 지금까지는 그랬다.

지렛대의 시대에 도달한 당신을 환영한다. 바닥부터 시작하는 것은 매우 나쁜 방법인데, 왜냐하면 이제 '바닥'이라는 건 존재하지 않기 때문이다. 보통의 사람들이 변화를 만들어내는 오늘날, 피라미드의 꼭대기는 행동과 그 행동이 초래하는 변화에서 너무 멀리 떨어져 있다. 피라미드 꼭대기에서 변화에 도달하기까지는 너무 오래 걸리고, 그 영향력도 적다. 그래서 꼭대기는 더 이상 '꼭대기'가 아니게 되었다. 행동과 변화는 길거리에서 일어난다.

모든 사람들이 이용할 수 있는 새로운 지렛대가 무엇을 의미하는가? 기존의 질서가 그 어느 때보다 위협받고 있으며, 이제 각각의 직원들은 다른 누군가가 하기 전에 자기 스스로 규칙을 바꿀 책임이 있다는 것을 의미한다.

나는 지금 혁신에 대해 이야기하고 있다. 내가 말하는 혁신은 규칙에 순응하고 꼭대기에 오른 다음에 세상을 바꾸는 일을 말하는 게 아니다! 비전이 있고, 사용 가능한 지렛대가 무엇인지를 이해했으며, 앞으로 나아가 변화를 만들어내는 이단자에 관한 것이다. 이단자야말로 리더십과 혁신의 좋은 예시다.

몇몇 산업은 현상을 유지함으로써 잘 돌아간다. 그리고 그런 산업의 목록은 매일 짧아지고 있다. 만약 당신이 전 세계에 기름을 팔거나 신용카드를 팔거나 마을을 관리하는 일을 하고 있다면 기존의 규칙을 받아들임으로써 조금 더 긴 시간 동안 수월하게 일할 수 있을 것이다. 하지만 그리 오래 지속되지는 못할 것이다. 모든 기업은 압력을 받고 있다. 모든 풍선공장은 유니콘을 두려워하는 동시에 유니콘을 절실히 필요로 한다.

세계적인 시리얼 생산 기업 켈로그는 수억 달러 상당의 공장, 잘 훈련된 영업 인력, 수 마일의 선반 공간을 보유하고 있으며 엄청난 양의 광고를 내보내는 대기업이다. 그런데 이러한 켈로그가 있음에도 불구하고 시리얼 사업을 시작한 이들이 있다는 걸 아는가? 바로 베어 네이키드Bear Naked 이야기다.

켈리 플래틀리Kelly Flately와 브렌든 시놋Brendan Synott은 건강 친화적인 시리얼 브랜드인 베어 네이키드를 만들었다. 직접 만든 그래놀라를 야자잎으로 만든 섬유로 포장해서 판매에 나섰지만 결과는 그리 좋지 않았다.

둘은 최후의 수단을 선택했다. 요거트와 우유, 과일을 마련해 거리로 나갔다. 그리고 '아침식사를 침대 위로'라는 슬로건을 내걸고 가두판매를 시작했다. 반응은 뜨거웠다. 이를 기반으로 사업이 궤도에 올랐고, 미국뿐만 아니라 캐나다 대형 마트에도 납품을 시작하게 되었다. 회사는 안정적으로 성장했다.

베어 네이키드는 큰 공장도, 판매를 도울 많은 수의 판매원도 없었다. 그럼에도 불구하고 베어 네이키드는 많은 사람들의 아침식사 방식을 바꾸었기 때문에 성공이 가능했던 것이다.

그들은 현금 자산 포트폴리오를 관리하지 않았고 공장을 보호하려고도 하지 않았다(물론 보호할 공장도 없었다). 대신 그들은 유행과 변화를 민감하게 감지하고, 지렛대를 바탕으로 다른 길을 개척했다.

아이러니하게도 변화를 거부하는 산업의 성장과 성공은 낡은 규칙을 어기고 새 규칙을 느슨하게 만드는 것과 불가분의 관계에 있다.

결연한 비전을 가지고
변화를 일으켜라

크리스 샤르마Chris Sharma는 암벽을 등반하는 이단자다. 크리스는 암벽등반 스포츠의 모든 규칙을 바꿨고, 그 과정에서 수만 명의 사람이 개인적 성취감을 인식하는 방식에 영향을 미쳤다.

수백 년 동안 암벽등반가들은 항상 암벽에 한 발과 한 손을 올려놓는 간단한 원칙을 따랐다. 네 팔다리 중 둘이 암벽에 고정되어 있다면 목숨을 걸지 않고도 꽤 훌륭한 스파이더맨 흉내를 낼 수 있다. 빠르지는 않더라도 위험은 적고, 충분히 암벽을 올라갈 수 있다.

그러나 샤르마는 암벽에 붙는 대신 점프하는 방식을 취했다. 이것을 다이노dyno라고 부른다. 샤르마가 다이노를 처음 시도한 사람은 아니지만, 그는 다른 사람들의 예상을 뛰어넘는 다이노 기술을 발전시켰다. 샤르마는 다이노를 통해 이전에는 불가능하다고 여겨졌던 경로를 타고 암벽을 올랐다. 막다른 길에 다다랐을 때 그는 고개를 들어 점프를 했다. 그 순간에는 다리도 팔도 없고 공기만 있을 뿐이다. 정말이다, 그는 2~4피트에 달하는 거리를 점프해 작은 바위덩어리를 두 손가락으로 간신히 움켜쥐었고, 등반을 이어나갔다.

이런 방식은 한동안 논란이 되었다. 많은 사람들은 이것이 옳지 않고 위험하다고 생각했다. 하지만 점차 그들은 샤르마의 방식이 많은 암벽등반 문제에 대한 합리적이지만 놀라운 해결책이라는 것을 인정하게 되었다. 그 덕분에 불가능한 루트가 더 이상 불가능하지 않게 되었다.

샤르마는 이단자의 전형적인 스테레오타입에 들어맞는 사람이다. 여전히 그의 방식에 동의하지 못하는 사람들이 많다. 그는 외톨이다. 그는 주기적으로 목숨을 걸고 40피트 상공에서 완전히 터무니없는 짓을 하고 있다. 샤르마를 보고 "난 절대 할 수 없어."라고 말하는 것은 쉬운 일이다. 그리고 그 말이 맞을 것이다. 나와 당신은 절대 512제곱미터의 암벽 아치를 다이노 기술을 이용해서 오르지는 못할 테니 말이다.

이 이야기의 교훈은 바위에 목숨을 걸어야 한다는 것이 아니다. 암벽등반이든 서비스 제공의 방식이든, 결연한 비전을 가진 한 사람이 변화를 일으킨다는 것이다.

다음의 예를 통해 더 간단하게 생각해보자. 전미 암벽등반 챔피언인 오베 캐리온Obe Carrion은 특이한 방법으로 토너먼트에서 우승했다. 오베는 최종 결승 진출자 4명 중 1명이었고, 그들은 가파른 벽을 타고 매우 어려운 루트를 올라야 했다. 처음 3명의 결승 진출자들도 같은 방식으로 시도했다. 그들은 줄이 없는 구역으로 들어가 루트를 점검하고 나서 천천히 오르기 시작했다. 2명은 성공했고 1명은 떨어졌다.

오베는 마지막에 오르기로 예정되어 있었다. 그는 격리 구역에서 나와 루트를 살피고 20걸음 뒤로 물러서더니 담을 뛰어 올라갔다. 그는 주저하거나 회피하지 않았다. 그는 그냥 저질렀다. 이것이 벽을 오르는 가장 쉬운 방법이었던 것으로 밝혀졌다. 문제를 그대로 받아들이자 그 문제가 사라졌다.

누가 안주하는가?

안주하는 것은 재미없다. 안주는 나쁜 습관이자 당신을 평범하게 만드는 미끄러운 비탈길이다. 매니저들은 항상 안주한다. 사실 그들은 처리해야 할 일이 너무 많기 때문에 실제로는 선택의 여지가 없다.

이단자들은 안주하지 않는다. 그들은 안주하는 것에 능하지 않다. 고착되고, 고요함과 평화를 위해 타협하고, 매일 관료들과 싸우는 매니저들이나 안주한다. 매니저들이 또 무엇을 할 수 있겠는가?

리더십의 기술 중 하나는 당신이 안주할 수 없다는 사실을 아는 것이다.

믿음과 종교의 차이

도전하고 현재 상황을 바꾸는 건 상당히 어렵다. 이런 일을 해내는 사람은 그가 신뢰하는 사람들, 그의 상사들, 그가 속한 커뮤니티의 저항을 극복한다. 도전의 길을 걸으며 맞닥뜨리는 실패의 굴욕을 참고 감수한다. 이보다는 도전을 포기함으로써 주변인들에게 받아들여지고 감사의 말을 듣는 게 더 쉬운 일이다.

그럼에도 불구하고 왜 도전할까? 이는 리더의 믿음과 중요한 관련이 있다.

믿음은 드러나지 않은 리더십의 중요한 요소로서 과소평가되고 있다.

믿음의 역사는 꽤나 오래되었다. 믿음은 희망을 불러오고 두려움을 극복하게 한다. 믿음은 우리 조상들에게 과학 이전의 세계에서 설명되지 않는 것들을 다루는 데 필요한 힘을 주었다. 또한 믿음은 인간과 대부분의 다른 종들을 구별하는 경계선이다. 우리에게는 내일 해가 떠오를 것이라는 믿음, 뉴턴의 법칙이 계속해서 공의 이동 방식을 지배할 것이라는 믿음, 그리고 우리 사회가 20년 후에도 의사를 필요로 할 것이기 때문에 의과대학에 다니며 힘들게 공부하는 이 시간이 값지다는 믿음이 있다.

샤르마는 100피트 상공에서 다이노를 할 수 있다. 잘될 것이라고 믿기 때문이다. 만약 당신이 다이노를 배우는 아이들을 본다면, 다이노 기술을 향상시키는 비결은 근육을 단련하거나 최신 기술을 배우는 것이 아니라는 사실을 알게 될 것이다. 이것은 단지 다이노를 할 수 있으리라는 믿음을 발전시키는 것에 불과하다. 물론 이 '단지'는 엄청난 발걸음이다. 하지만 믿음이 없으면 모든 게 소용이 없다.

믿음은 혁신에 매우 중요하다. 믿음 없이 리더가 되고 이단자처럼 행동하는 것은 자살행위나 마찬가지이다.

반면에 종교는 동료 인간들이 믿음 위에 덮어씌운 엄격한 일련의 규칙들을 대표한다. 종교는 현재 상황을 지지하고 우리가 이에 맞서는 대신 맞추기를 권장한다. 리더의 믿음이 과소평가되는 지금의 사회에서, 역설적으로 종교는 과대평가되고 있다. 우리의 삶에는 조로아스터교나 유대교뿐만 아니라 수많은 종교가 깃들어 있다. 예를 들어 1960년대에 IBM은 직장에서의 프로토콜, 드레스코드, 그리고 아이디어를 제시하기 위한 정확한 방법까지 규칙으로 정했었다. 브로드웨이는 관객들이 뮤지컬을 어떻게 보고 느껴야 하는지를 결정한다. MBA는 성공적인 직업(베인 앤 컴퍼니에서 일하는 것)과 별로 좋지 않은 직업(양조장에서 일하는 것)을 구분하는 가이드라인을 제시한다. 이것이 종교가 아니고 무엇이란 말인가?

종교에 얽매이면 도태된다

종교는 믿음을 증폭시킨다. 이것이 바로 인간이 종교를 창안한 이유다. 또한 인간이 정신적 종교와 문화적 종교와 기업적 종교를 갖는 이유이기도 하다. 종교는 믿음이 필요할 때 약간의 지지를 주고, 특히 한 집단 내에서 서로 어떠한 믿음을 수용하게 만드는 데 효과적이다.

최고의 종교는 일종의 진언이다. 이러한 진언은 지금 나의 믿음이 괜찮은 것이고, 믿음은 도달하고자 하는 곳에 도착하도록 이끄는 최선의 방법이라는 것을 끊임없이 상기한다.

하지만 우리가 종교에 관해 이야기해야 하는 이유는, 종교가 종종 정반대의 작용을 하기 때문이다. 최악의 종교는 믿음을 희생시키면서 현재 상황을 강화한다.

울워스Woolworth 백화점에는 종교가 있었다. 그 종교는 훌륭한 백화점을 만드는 원칙을 고수했고, 그 과정에서 변화를 배척했다. 그 변화는 아마 '훌륭한 백화점'이 되는 것보다 더 값진 경험이었을 테지만 결과적으로 변화는 종교에 밀려 배척당했고 이는 백화점의 혁신을 방해했다. 결국 그 백화점은 오래전에 없어졌다.

몇몇 컨트리클럽에도 종교가 있다. 이들 클럽이 정한 폐쇄적이고 보수적인 신념과 규칙들은 너무나 견고해서 바꾸기가 힘들다. 이것이 종교가 아니고 무엇이겠는가. 그런 상태가 지속된다면 자주적이고 진취적인 여성들은 그 클럽에 가입하지 않을 것이고, 그런 상황이 지속된다면 그 클럽은 곧 역사의 뒤안길로 사라질 것이다.

종교에 도전하라

종교에 대해 깊은 대화를 하는 것은 어려운 일이다. 그 이유는 사람들이 위협을 느끼기 때문이다. 사람들은 대개 특정한 종교를 비판하는 것을 행위의 의식이나 비합리성에 대한 비판이 아니라, 그들의 믿음 자체에 대한 비판이라 생각하곤 한다.

믿음은 조직을 하나로 묶어주는 초석이다. 나아가 믿음은 인류의 초석이다. 우리는 믿음 없이는 살 수 없다. 그러나 믿음과 종교는 구분해야 한다. 종교는 사회적 약속의 집합이자 지켜야 할 규칙일 뿐이다. 이단자들은 자기 자신만의 견고한 믿음에 초석을 두고 종교에 도전한다. 이끌기 위해서 꼭 해야 하는 일이다. 당신을 지배하는 종교와 질서, 현재 상황에 도전해야 한다. 그리고 굳건한 믿음에 도전하는 당신을 사람들은 궁금해할 것이다.

물론 종교와 믿음은 함께한다. 유니폼을 입거나 진언을 내뱉는 것으로 믿음을 상기할 수 있다. 교회에 나가거나 회사 야유회에 참석하거나 특정 종교 의식을 따름으로써 그 커뮤니티의 도움을 받을 수 있다. 종교가 없다면 믿음의 깃발을 꽂기 어렵다. 종교가 오랫동안 존재해온 건 당연하다. 종교는 믿음을 강화하고, 종교 없이 성공하기 힘들었다.

그래서 성공한 이단자들은 자신만의 종교를 만든다. 패스트

컴퍼니Fast Company는 기술, 비즈니스 및 디자인에 중점을 둔 월간지를 발행한다. 그 잡지는 새로운 종교의 증거이며, 새로운 친구들과 새로운 지지자들과 새로운 의식들을 한데 불러 모았다. 이단적인 행동을 포용하는 기업, 블로그, 벅스 레스토랑*, TED 컨퍼런스와 같이 리더가 사람들과 어울리는 장소라면 그게 어디든 같은 일이 일어난다. 이 종교들은 오로지 우리의 믿음을 강화하기 위해 존재한다.

당신도 당신만의 종교를 만들 수 있다. 자신의 아이디어에 대한 믿음을 굳건히 할 수 있고, 당신을 지지하는 부족을 찾을 수 있으며, 당신의 믿음을 중심으로 새로운 종교를 만들 수 있다. 스티브 잡스는 애플에서 그렇게 했고, 필 나이트는 나이키에서 그렇게 했다.

---

* 실리콘밸리에 위치한 레스토랑. 벤처기업가 및 자본가들의 만남의 장소로 명성이 높다.

종교는 사라져도
믿음은 그대로다

여론조사 기관 퓨리서치센터 ^{Pew Research Centre}의 최근 연구에 따르면 전체 미국인의 3분의 1이 어려서부터 믿어왔던 종교를 버린 것으로 밝혀졌다. 이 연구에서는 '종교'라는 단어 대신 '믿음'이라는 단어를 사용했는데, 이는 잘못된 것이다. 왜냐면 사실 믿던 종교를 버린 사람들 중 믿음을 잃은 사람은 거의 없기 때문이다. 대신 그들은 믿음을 강화하기 위한 시스템을 바꾸었을 뿐이다.

당신이 만약 특정한 체계와 사랑에 빠지면, 성장에 필요한 능력을 잃게 된다.

믿음은 행동이다

종교가 당신이 따르는 규칙이라면, 믿음은 당신이 취하는 행동에서 드러난다. 보상 없이 이끌 때, 보장 없이 희생할 때, 확신을 가지고 위험을 무릅쓸 때, 당신은 그 부족에 대한 믿음과 사명을 입증하게 된다.

물론 어려운 일이다. 그러나 리더라면, 어렵지만 가치 있는 일이라고 말할 것이다.

종교에 반대하는 단어

종교와 믿음은 종종 혼동된다. 믿음에 반대하는 사람은 무신론자라 불리며 욕을 먹는다. 그러나 우리에게는 종교에 반대하는 사람을 지칭하는 단어가 없다. '이단자'가 바로 그 단어가 될 것이다.

믿음이 신념 체계의 근간이라면, 종교는 신념 체계의 표면이다. 사람들은 오랜 기간 쌓여온 기업문화와 체계에 휘말리기 쉽지만, 애초에 그것들은 신념 체계를 만들어낸 믿음과는 전혀 관계가 없다.

변화는 이단자로 일컬어지는 것을 자랑스러워하는 리더들이 만들어낸다.

그들의 믿음은 의문의 여지없이 확실하기 때문이다.

돌격하는 언더독의 용기

거의 10여 년 동안 나는 가방에 동전 하나를 넣고 다녔다. 이 동전은 내가 설립한 회사 요요다인*Yoyodyne*의 팀원들에게 주었던 동전 70개 중 하나다. 동전에는 우리 팀과 "돌격하는 언더독의 용기"를 기념하는 작은 태그가 붙어 있다.

항상 언더독처럼 생각하고 행동하는 것 역시 리더십이다. 리더는 변화를 위해 일하는 반면, 이미 권좌에 앉거나 승리를 거머쥔 사람들은 좀처럼 변화하지 않기 때문이다.

리더로서 과거에 했던 일, 그리고 앞으로 해야 할 일은 용기를 필요로 한다. 다른 사람들에게 비난받을 것을 감수하고서라도 한계를 초월하고 지금껏 존재하지 않던 미래를 만드는 일은 용기가 필요하다.

반면 매니저들은 그렇지 않다. 그들은 현재의 삶을 유지하기 위해 규칙에 순응하기를 택한다. 용기를 내는 것은 힘들고 규칙은 안전하다고 느낀다. 한계를 초월하고 미래를 창조하면 동시에 모두에게 비판받을 테니, 용기가 절대적으로 필요하다. 일단 용기를 갖추면 돌격하는 건 쉽다.

---

* 1995년 저자가 설립한 마케팅 컨설팅 기업. 수많은 기업들의 온라인 마케팅을 이끌었다. 1998년 야후에 3,000만 달러에 인수되었다.

일반적인 사고와 노력으로는 리더십을 구축할 수 없음을 기억하라. 인간은 근본적으로 충분하다고 여겨질 만큼만 움직이는 걸 선호하기 때문이다. 사람들이 실제로 참여하고 행동하게 하려면 아주 특별한 것들이 필요하다. 거부하기 힘든 움직임, 싸울 가치가 있는 명분이 그것이다.

가장 쉬운 일,
가장 어려운 일

가장 쉬운 일은 반응하는 것이다.

두 번째로 쉬운 일은 응답하는 것이다.

가장 어려운 일은 무언가를 시작하는 것이다.

유명 작가이자 강연가인 지그 지글러^{Zig Ziglar}가 말했듯, 반응은 잘못된 종류의 약을 먹었을 때 몸이 보이는 것이다. 정치인들은 항상 반응한다. 매니저들 역시 반응하는 사람들이다. 반응은 직관적이고 본능적이며 대개는 위험하다. 또한 아무 변화도 일으키지 못한다.

응답은 반응보다는 더 낫다. 응답하는 사람은 외부의 자극에 사려 깊은 행동으로 반응한다. 조직은 그들에게 해가 되는 경쟁적 위협에 응답한다. 개인은 동료의 말이나 눈앞의 기회에 응답한다. 응답하는 것은 반응하는 것보다 항상 낫다. 그러나 둘 다 진취적인 측면에서 보자면 낮은 단계에 머물고 있다.

무언가를 시작하는 것은 정말 어려운 일이다. 시작하는 사람들이 바로 리더다. 그들은 다른 사람들이 무시하는 일에 뛰어든다. 그들은 다른 사람들이 반응해야 하는 사건들을 일으킨다. 그들은 변화를 만든다.

따라가야 할 때

리더십의 가치는 자발적으로 "내가 이끌겠다."라고 말할 수 있는 데서 비롯한다.

그러나 때로는 이끄는 것보다 따르는 것이 더 나을 때도 있다. 어디로 가야 할지 모를 때, 헌신할 마음이나 열정이 없을 때, 무엇보다도 두려움을 극복하지 못할 때는 차라리 아무것도 안 하는 게 더 낫다. 이럴 때 이끄는 것은 모두에게 일종의 재앙이다.

당신에게 일어나는 일과
당신이 하는 일

예전에는 직장에서 일어나는 일들을 속수무책으로 받아들이기만 했다. 예를 들어, 공장이 문을 열었고 당신이 채용되었다. 보스는 당신에게 지시 사항을 내렸다. 당신은 전근 조치되기도 하고 해고되기도 했다. 아, 승진할 수도 있다. 그리고 공장이 문을 닫으면 그 후에는 아무 일도 일어나지 않는다.

반면에 리더는 일어나는 일을 받아들이지 않는다. 일을 일어나게 한다.

2008년 서브프라임 모기지 사태가 일어났을 때 한 연례 대회에서 수천 명의 부동산 중개업자들과 시간을 보낼 일이 있었다. 그곳에서 내가 발견한 일은 정말 놀라웠다. 그 그룹은 두 부류로 완전히 갈라져 있었다.

몇몇 부동산 중개업자들은 자신들이 어렵게 달성한 업적에 대해 베어스턴스The Bear Stearns Companies, Inc.를 위시한 금융기관, 언론, 그리고 국민들이 그들에게 어떻게 하는지를 똑똑히 보았다. 그들은 길게 이어졌던 집값 상승이 끝난 것에 대해 화가 났고, 다가올 미래를 두려워했다. 이 상황을 어떻게 대처해야 할지 몰라 갈팡질팡했다. 나빠진 상황을 헤쳐 나가려 했지만, 이미 시작된 변화 때문에 이를 불가능하다고 여겼다.

그리고 다른 부류의 부동산 중개업자들은 확실하게 들떠 있었다. 그들은 빨리 일하러 가고 싶어 했다. 그들은 이미 시작된 서브프라임 모지기 사태를, 비즈니스를 극적으로 발전시킬 기회로 보았다. 그들은 현 상황이 오래 지속되지 않을 것이란 것을 알았으며, 현 상황이 확실한 기회만 쫓는 기회주의자들을 솎아내고 진정한 부동산 전문가들만을 남기게 만들 거라고 생각했다.

결국 약 10~20%의 부동산 중개업자들이 업계를 떠났게 되었다. 떠나지 않고 남은 사람들, 즉 리더들은 변화가 아주 좋은 현상이란 것을 인지한 사람들이었다. 장군을 만드는 것은 전쟁이라는 것을 깨닫는 군인들과 마찬가지로, 그들은 변화를 기회로 활용할 준비가 되어 있었고 동기 부여가 되어 있었던 것이다.

들이받아라!

이 책을 읽고 있는 당신은 보잉Boeing이나 몬산토Monsanto 같은 대기업에서 일하고 있을지 모른다. 그러나 큰 조직보다는 작은 조직에 속해 있는 사람이 더 많으므로, 아마 이 책을 읽고 있는 독자 대부분은 사원이 매우 적은 회사에서 일하고 있을 것이다. 어느 쪽이든, 당신이 일하는 방식에 대해 시간을 내어 생각해보는 것은 가치 있는 일이다.

가장 높은 자리의 임원들에게는 비서가 달린 임원급 비서가 있다. 당신은 보스에게 메모를 보낸 다음 응답이 오기까지 일주일 혹은 한 달을 기다린다. 당신은 새로운 아이디어를 동료와 공유하지 않는다. 정보는 대부분 위에서 아래로 이동한다. 가끔 정보가 아래에서 위로 이동되기도 하지만, 결국 흐름은 위에서 아래로 회귀하고, 정보는 절대 옆에서 옆으로 이동하지 않는다.

작가 아트 클라이너Art Kleiner가 오랜 연구 끝에 완성한 책《이단자의 시대The Age of Heretics》는 좌천되고, 해고되고, 망신당하고, 불행해진 이단자들의 이야기다. 이 책에 등장하는 기업들은 차라리 독재자 스탈린이 운영하는 편이 더 나았을 수도 있다. 5개년 계획, 엄격하게 통제된 소통 경로, 그리고 군주를 둘러싼 군중으로 구성된 스탈린 체제보다 나을 게 없었기 때문이다. 이런 경직된 조직에는 리더들이 설 자리가 없었으며, 이단자들은 쓸모없는 취급을 받았다.

나는 어렸을 적 아버지의 사무실에 들르곤 했다. 회사 사무실 옆 한 남자의 방문에 붙어 있던 '공장 노동자 출입금지'라고 적힌 팻말이 아직도 기억난다. 똑똑하고 숙련된 선반공들은 사무실 옆 화장실을 사용할 수 없었을 뿐만 아니라, 자신들이 알아낸 지식이나 아이디어를 상사와 공유하는 것도 거의 허락되지 않았다.

많은 조직들의 시스템은 경직되어 있었다. 예를 들어 코닥필름Kodak은 노동자들을 칠흑같이 어두운 공장에서 힘들게 일하도록 했다. 물론 필름을 만드는 과정은 어둡게 관리해야 하지만, 그렇게까지 엄격하게 관리할 필요는 없었다.

관리에 대한 이런 식의 접근은 변화하는 세계에 잘 적응하지 못한다는 문제를 안고 있다. 특히 다양한 출처의 정보들이 다양한 방향에서 들어올 때 그 정보들을 제대로 수용하지 못한다. 당신과 함께 일하는 모든 동료가 하버드 비즈니스 리뷰를 읽고 맥킨지에서 컨설팅 서비스를 받는 부류인가? 그건 아닐 것이다.

최고 경영진은 이제 리더를 원한다. 그들은 변화가 일어나기 전에 변화를 만들어내는 이단자들을 원한다. 최고 경영진은 리더에게 추종자가 필요하며, 놀라운 변화와 주목할 만한 계획에 부족을 참여시켜야 한다는 사실을 이해한다.

많은 사람들이 과거에 안 좋은 일을 목격했기 때문에 주저한다. 실패하고 비난받는 것을 두려워한다. 실수하는 것을 두려워하고, 실수를 들킬까 봐 두려워한다. 매니저로 관리하는 것을 그만두고 리더로 이끌기 시작하면 직장을 잃을까 봐 속이 타는 중이다.

지렛대의 시대가 도달했지만 두려움은 여전히 남아 있다. 평범한 사람들이 30년 전에 겪은 일이 계속해서 회자된다. 이것은 우리의 두려움을 유발하며, 숨고 싶은 욕구를 합리화하는 좋은 도구로 활용할 수 있다.

이단자들은 살아남았을 뿐만 아니라 성공하고 있다. 제리 셰어셰우스키 Jerry Shereshewsky는 광고대행사인 영앤루비캠 Young&Rubicam의 이단자였다. 요란한 성격의 그는 1970년대 광고회사의 엄격한 문화에 맞는 사람이 아니었다. 그렇다고 해서 걱정할 필요는 없다. 제리는 BMG에서, 나와 함께 일했던 요요다인에서, 야후에서 계속 이름을 알리는 데 성공했다. 그는 대단한 경력을 가지고 있다. 만약 그가 입을 다물고 있었더라면, 그는 여전히 커피메이커 마케팅 계획이나 세우고 있었을 것이다.

모두 틀렸다

"모두가 나를 바보 같다고 생각할 거야!"

"모두가 이런 일은 불가능하다고 하잖아."

이런 말을 하는 '모두'는 풍선공장에서 일하는 사람들이다. 모두가 틀렸다.

현재 상황은 지속되려는 속성이 있으며 변화에 저항적이다. '모두'가 현재 상황이 유지되기를 때문에 변화 없이 존재한다. 이 변화에 수반되는 위험과 두려움보다 자신이 지금 가진 것이 낫다고 믿는다.

개발도상국의 '모두'에 해당하는 사람들은 미래가 변화 없이 예전과 같을 것이라고 생각한다. 그래서 새로운 기업가 정신을 갖춘 리더와 새로운 기술이 케냐의 한 마을에 나타나면 마을 사람들은 강하게 저항한다.

음악 비즈니스의 '모두'에 해당하는 사람들은 생계를 꾸릴 수 있는 유일한 방법이 CD나 디지털 파일의 판매 수익이라고 믿는다. 그래서 새로운 비즈니스 모델이 나타나도 모른 척 무시하거나 더 심한 경우에는 소송을 제기한다.

마이크로소프트의 '모두'에 해당하는 사람들은 자신들의 회사에는 적수가 없다고 생각했다. 실리콘밸리의 어설픈 검색 엔진이나 인터넷 회사들은 그들에게 위협이 되지 않는다고 믿었다.

스티브 발머는 "구글은 진짜 회사가 아니고, 성공할 가능성이 작다."라고 했다. 또한 "단언컨대 페이스북에는 더 심오한 기술이 있을 수 없다."라고도 했다.

반복해서 말하지만, 혁신은 변화를 만들고 이단자들은 규칙을 파괴하며 훌륭한 상품과 서비스는 널리 퍼진다는 것을 당신이 믿는 한, '모두'는 틀렸다.

혁신과 변화를 믿는 당신은 '모두'가 아닌, 앞장서는 리더다.

당신은 옳은 길을 가고 있는 중이다.

죽어가는 음악 산업을 돌아보며

지속적으로 번창하고 많은 수익을 창출하던 음악 산업이 허물어지는 데는 거의 10년이 걸렸다. 그들이 음악 비즈니스의 하락이 다가오는 것을 보지 못했던 것은 아닌 것 같지만 결국 몰락하고야 말았다. 그 이유는 매우 간단하다.

첫째, 음악 산업의 경영진들에게는 꼭 필요한 이단자가 없었다. 아무도 앞장서서 변화를 만들려고 하지 않았다.

둘째, 그들은 부족을 아우르는 것을 잊었다.

음악 산업이 죽어가는 과정을 살펴보는 것은 모든 이단자에게 가치 있는 교육이다. 새로운 산업에 종사하는 매우 똑똑한 사람들이 얼마나 고의적으로 세계를 무시하고 숨어 있었는지를 보여준다. 그 교훈은 당신이 상상할 수 있는 모든 산업에 적용된다.

음악 산업에 종사하는 사람들이 이해하지 못한 첫 번째 규칙은, 처음부터 새로운 것이 옛것만큼 좋은 경우가 매우 드물다는 것이다. 시작할 때부터 현재 상황보다 더 나은 대안이 필요하다고 생각한다면, 당신은 절대 시작할 수 없다. 그러나 어느 순간 새로운 것이 옛것보다 더 나아지는 때가 도래한다. 하지만 그러한 순간이 올 때까지 기다리면 그때는 이미 늦었다. 옛것에 대한 향수를 얼마든지 느끼되, 그것이 영원히 그 자리에 있을 것이라고 자신을 속이지 마라.

그들이 놓친 두 번째 규칙은, 과거의 성과가 미래의 성공을 보장하지 않는다는 것이다. 모든 산업은 변하고 결국 쇠퇴한다. 어제 돈을 많이 벌었다고 해서 내일도 똑같은 방식으로 성공하리라는 보장은 없다.

음악 산업은 베이비붐 세대와 함께 화려하게 등장했다. 비틀즈와 밥 딜런을 시작으로 음악 산업의 경영진은 많은 돈을 벌었다. 록이라는 장르가 탄생했고, 트랜지스터 라디오가 발명되었고, 변화하는 사회적 관습과 결합한 10대들의 구매력이 신장되었다. 이는 음악 산업의 길고 긴 성장 곡선을 그렸다.

그 결과 음악 산업은 거대한 시스템을 구축했다. 그들은 최고 수준의 조직들, 음반 전문 매장, 저렴한 가격의 공연, 엄청나게 높은 수익률, MTV 등이다. 기름칠이 잘된 시스템이었지만 "음악 산업은 영원히 지속될 자격이 있었을까?"라는 질문을 하지 않을 수 없다.

음악 산업은 영원히 지속될 자격이 없었다. 당신의 산업 또한 그렇다.

음악 산업은 다음의 5개의 축을 중심으로 만들어졌다.

- 무료 라디오 홍보 활동

- 제한된 수의 음반제작사

- 음반제작사의 지원을 받아야만 하는 높은 음반제작비

- 베이비붐 세대를 기반으로 한 '최고의 히트곡 40' 차트

- LP 혹은 CD: 복제할 수 없고 높은 이윤을 내는 포맷

이 5개의 축 중 단 하나도 부족이나 리더십과 관련되지 않았다는 사실에 주목해야 한다. 이 5개의 축은 각각 하나씩 무너졌고 그 결과 음악 산업은 곤경에 빠졌다.

이러한 음악 산업에서 혁신할 수 있는 방법이 없는 것은 아니다. 우선 디지털 음원을 이용하되 인터넷을 라디오처럼 사용해야 한다(물론 더 잘 이용해야 한다). 그리고 불법 복제를 한 고객들을 고소하고 옛 시절을 그리워하는 대신, 서비스 사업을 확장하고, 수천 명의 음악가를 위해 수천 개의 부족을 찾아주고, 그 부족이 가고자 하는 곳으로 인도해야 한다. 사업 모델을 바꿀 수 있는 가장 좋은 시기는 그렇게 할 수 있는 탄력이 아직 남아 있을 때다.

무명 화가가 밑바닥부터 시작해 전시 경력을 쌓는 것은 그리 쉬운 일이 아니다. 팬들을 1명씩 끌어 모아서 하나의 청중으로 만드는 일 역시 쉽지 않다. 하지만 음반제작사나 최고의 아티스

트가 그렇게 하기는 매우 쉽다.

점프해야 가장 좋은 때는 어제였다. 늦은 감은 있지만, 오늘 점프해보는 것은 어떨까? 최대한 빨리 시작해야만 당신은 더 많은 자산을 가지고 가속도를 붙여 도약할 수 있다.

불길한 조짐에
정면으로 맞서라

나는 오래 전부터 음악 산업계에 그들의 수익 모델을 바꿔야 한다고 경고해왔다. 물론 음악 산업계가 90%의 마진율을 기록 중인 CD 제작을 포기하고 콘서트 티켓과 MD 상품 판매, 기타 특별 이벤트, 외부 행사 등으로 수익 모델을 바꾸는 것은 쉽지 않은 일이다. 하지만 그 생각을 극복해야 한다. 왜냐하면 살아남기 위한 유일한 선택이 될 것이기 때문이다. 앞으로 CD를 팔아 고수익을 올리는 것은 사실상 불가능에 가까운 일이 될 것이다.

수익 모델을 바꾸는 소수의 몇몇은 성공할 것이고, 나머지는 모든 것을 잃을 것이다.

사람들은 종종 자신의 분야에 닥친 불길한 조짐을 애써 외면한다. 한 산업이 불시에 망하지는 않는다. 산업이 몰락할 조짐을 사람들이 알아채지 못했던 것이 아니다. 산업의 몰락을 막기 위해 누구와 협력하고 어떤 이들을 고용해야 하는지 몰랐던 것도 아니다. 그들이 몰랐거나 가지지 못했던 것은 리더십이었다. 즉, 미래를 만들어나가는 데 필요한 결속력을 구축하는 이단자의 존재였다.

내가 하는 말은 훌륭한 아이디어에 대한 것이 아니다. 훌륭한 아이디어는 멀리 있는 것이 아니며 심지어 무료다. 나는 솔선수범하여 어떠한 일들이 일어나게 만드는 것을 이야기하고 있다.

현재의 음악 산업 수익 체계를 마지막으로 떠나는 사람은 가장 똑똑하지 않을 것이고, 가장 성공적이지도 않을 것이다. 먼저 나가서 새로운 영역을 개척하는 사람은 거의 항상 성과를 거둔다. 믿기 어렵겠지만 음악 산업에도 좋은 시절은 아직 오지 않았다. 그리고 음악 산업이 재정비될 때 예전의 음악 산업을 운영했던 옛사람들이 그 자리에 없을 거라는 사실은 확실하다. 그들은 환영받지 못할 것이기 때문이다.

양처럼 걷기

수동적이며 순종적인 사람을 고용해서 그들을 더욱 수동적으로 만드는 이들을 나는 양이라고 부른다. 조직은 강압적인 명령과 지시를 이용해 사람들을 '양처럼 걷게sheepwalking' 만드는 것을 목표로 한다.

당신도 양을 만난 적이 있을 것이다. 공항의 보안 검색대에서 엄마에게 젖병 속 우유를 다 마시도록 강요하는 항공사 직원, 회사 정책의 의미도 제대로 알지 못한 채 고객에게 회사의 정책을 강요하는 고객 서비스 담당자가 바로 양이다. 효과가 없다는 것을 알면서도 그의 보스에게 수백만 달러어치의 TV 광고 시간을 사들이자고 이야기하는 마케팅 담당자가 양이다.

아이러니하게도 새로운 아이디어, 빠른 변화, 혁신에 대한 의존도가 높아진 지금 시대에 양이 실제로 증가하고 있다. 그런데 사실 그리 놀라운 일은 아니다. 왜냐하면 바보 같은 일만 하는 기계에게 더 이상 비용 절감을 기대할 수 없기 때문이다.

인간은 기계화할 수 있는 모든 것을 기계화했다. 남은 것은 인간이 해야 할 수작업의 비용을 줄이는 것이다. 그래서 조직은 가장 싼 노동력을 찾기 위해 애쓴다. 그리고 저렴한 노동력을 고용하려고 할 때, 순하고 주관이 없으며 주어진 지시를 그저 따라주는 사람들을 찾고자 하는 건 그리 놀라운 일이 아니다.

양을 만드는 가장 좋고 쉬운 방법은 학교에서 학생을 대상으로 훈련시키는 것이다. 시험을 치러 성적을 매기고, 얌전히 행동하게 하며, 두려움을 동기의 요인으로 사용하는 것이다. 그러니 그렇게 많은 양들이 학교를 졸업한다는 사실이 뭐가 놀라운가?

그리고 대학원에서는? 기회, 비용, 학비, 채용시장이 복잡하게 얽힌 이해관계 때문에 학생들은 그들이 배운 대로 양이 되는 데 주저하지 않는다. 물론 좋은 교육을 받은 양이다.

그리고 대다수 조직들은 정해진 규칙에 잘 따르는 사람을 고용하기 위해 고군분투한다. 그리고 이러한 조직들은 공포를 도구로 직원들을 관리감독한다. 결국 직원들은 다음의 말을 되뇌며 양치기를 따라간다. "따르지 않으면 나는 해고될지도 몰라!"

물론 이게 당하는 직원의 잘못은 아니다. 적어도 처음에는 말이다. 하지만 고통은 직원과 고객 모두의 몫이다.

대안은 없을까? 수평적이고 개방적인 조직을 만들고 직원들을 존중으로 대하면 어떻게 될까? 함께 일하는 사람들을 신뢰하며 기대를 가지면 그 결과가 어떻게 될까? 처음에는 미친 짓이라고 생각할 것이다. 효율성이 떨어질 수 있다. 너무 큰 비용이 발생하고, 예측가능성은 낮고, 잡음이 너무 많아져 혼돈에 빠질 것이다.

그러나 시간이 지날수록 놀라운 일이 벌어질 것이다. 혁신적인 사람들을 고용하고 그들에게 자유를 주면 그들은 정말로 놀라운 일을 한다. 그러나 순응하는 양떼들과 그들의 양치기들은 이런 현상이 그들의 산업에 너무 위험하고 고객을 잃을 수도 있다고 확신하기 때문에 거부감을 가지고 관망할 것이다.

몇 년 전 내가 구글 컨퍼런스에 참석했을 때 겪은 일이다. 한 방에서 많은 수의 신입사원들과 함께할 기회가 있었다. 몇 명과 업계에 관한 대화를 나누었는데 그들이 벌써 양처럼 걷고 있다는 것을 알게 되었다. 참으로 가슴이 아팠다.

구글 컨퍼런스 참석 일주일 후에 출판사를 갈 일이 있었다. 로비에는 손님 안내와 접수를 맡고 있는 직원이 있었는데, 그녀는 아무것도 하지 않고 가만히 있었다. 그녀는 굉장히 지루해 보였다. 그녀는 대부분의 시간 동안 자리에 앉아 로맨스 소설을 읽으며 손님을 기다린다고 인정했다. 그리고 그녀는 2년 동안 그 일을 해왔다고 했다.

내가 만났던 MBA 졸업예정 학생 이야기도 해보겠다. 그녀는 대형 포장재 회사에 다니기로 선택했다. 회사는 그녀에게 많은 월급과 진급 기회 등을 약속했다. 그녀는 "딱 10년만 일한 뒤 아이를 낳고, 나만의 일을 시작할 것이다."라고 말했다. 그런 조직에서 그렇게 오래 일하면 일요 신문에 들어갈 할인 쿠폰을 운용하는 일은 정말 능숙해지겠지만 새로운 문제가 나타나면 허둥지둥하게 될 것이다.

이 얼마나 아까운 일이란 말인가!

양처럼 걷지 않기 위해서는 어떻게 해야 할까?

첫 번째 단계, 문제에 이름을 붙인다.
양이란 이름을 붙였으니 첫 단계는 완료되었다.

두 번째 단계, 이미 모두가 걷는 길을 가기 거부한다.
그럼으로써 언제든지 당신이 원하는 일을 선택할 수 있음을 증명할 수 있다. 이 단계는 언제든지 멈출 수 있다는 것을 깨닫기 위해 자신을 돌아보고 성찰하는 사람들을 위한 것이다.

가장 큰 단계, 양 같지 않은 행동, 즉 순종하지 않는 혁신적인 아이디어와 행동을 수용하고, 적절한 보상을 하고, 소중히 여긴다.
이 책에서 보았듯이, 최근에 성장한 조직에서는 좋은 일이 일어났다. 이 단계는 가르치거나 고용하는 사람들을 위한 것이다.

앞의 단락들을 읽으며 누군가는 내가 너무 가혹한 이야기를 하고 있다고 생각할 것이라고 장담한다. 내가 읽어봐도 그럴 만하다. 그러나 내가 가혹한 이야기를 하는지, 아니면 받아들일 만한 이야기를 하는지 판단하는 건 당신 자신에게 달려 있다. 당신이 모든 이들이 선천적인 잠재력을 가지고 있다고 믿는지에 달려 있다. 조직이 부족으로 성장하기 위해서는 직원과 고객들의 지지와 뜨거운 호응이 필요하다고 믿는지에 달려 있다. 또한 마케팅 담당자과 고객의 관계가 시간과 노력을 투자할 만큼 중요하다고 생각하는지에 달려 있다. 만약 당신이 그 모든 것을 믿고 당신 자신과 동료들을 믿는다면, 내 말이 가혹하게 들리지 않을 것이다. 그러니 빨리 눈을 떠야 한다. 정신 차려야 한다.

갈망하는 일을 하라

새벽 4시, 나는 잠이 오지 않아 자메이카의 한 호텔 로비에 앉아 이메일을 확인하고 있었다.

휴가를 조금 무리할 정도로 즐기고 있는 한 커플이 내 앞으로 지나간다. 여자는 나를 훑어보고는 남자친구에게 조금 거칠게 속삭인다. "슬프지 않아? 저 남자는 휴가 기간에도 이메일 확인하느라 꼼짝도 못 하고 있잖아. 고작 2주간 주어진 휴가조차 즐기지 못하고 있어."

나는 그들의 진짜 질문은 다음이었어야 한다고 생각한다. "슬프지 않아? 우리는 고작 2주간 주어진 휴가 동안에만 일을 안 할 수 있고 나머지 50주는 일해야 하는데 말이야."

나는 새벽에 이메일을 확인하며 무척 기뻤는데, 그 이유를 알아내기까지 오랜 시간이 걸렸다. 그것은 열정과 관련이 있었다. 나는 운이 좋게도 변화를 일으킬 수 있는 직업을 갖고 있었다. 비록 나와 일하는 사람이 많지 않더라도, 나는 우리가 가고 싶은 곳으로 그들을 이끄는 일을 하고 있었기 때문이다.

반면 대부분의 사람들은 변화에 맞서 싸우고, 현재 상황을 유지하기 위해 초과 근무를 해야 하는 직업을 갖고 있다. 매우 지치는 일이다. 변화에 직면한 시스템을 유지하는 것은 당신을 힘들게 할 것이다.

일을 갈망하고 만족하고 열정적인 사람들에 대해 잠시 생각해보자. 나는 그들이 변화를 만든다고 장담한다. 그들은 현재 상황에 도전하고 자신이 믿는 무엇인가를 앞으로 밀고 나간다. 그들은 이끌고 있는 것이다.

"인생은 너무 짧다." 이 문구는 진부하다고 표현될 만큼 자주 반복되지만, 이번만큼은 사실이다.

당신에게는 불행하고 평범한 삶을 살아도 될 정도로 시간이 많지 않다. 불행하고 평범한 삶은 무의미할 뿐만 아니라 고통스럽다. 다음 휴가가 언제일지 궁금해하는 대신에, 탈출할 필요가 없는 삶을 살아야 한다.

온도계와 온도조절장치의 차이

온도조절장치는 온도계보다 훨씬 더 가치 있다.

온도계는 오작동을 알려주는 지표다. 온도계는 우리가 너무 많은 돈을 쓰거나 시장 점유율이 낮거나 전화를 빨리 받지 않을 때를 알려준다. 조직들은 온도계로 가득하다. 그들은 비판하고, 지적하며 혹은 칭얼거린다.

반면에 온도조절장치는 조직의 환경을 외부 세상과 조화를 이루도록 변화시킨다. 모든 조직은 적어도 하나 이상의 온도조절장치가 필요하다. 온도조절은 외부세계에 대응하여 변화를 만들어내는 리더의 역할이다.

소규모 운동을 촉발하는
5가지 해야 할 일과 6가지 원칙

모든 리더는 운동을 환영하고 지지한다. 여기서 말하는 운동은
물론 버클리에서의 자유 언론 운동이나 천안문 6·4 항쟁, 미시
시피에서의 흑인 민권 운동을 포함한다. 그러나 핸드드립 커피나
문신에 열광하는 전 세계 사람들의 모임 같은 운동일 수도 있다.

오늘날, 모든 운동이 가능하다. 당신이 참여하고자 하는 운
동은 규모가 작을 수도 있고, 활동 범위가 좁을 수도 있고, 외부
와 단절되어 있을 수도 있다. 그 모임은 10만 명, 20만 명, 또는
1,000명일 수도 있다. 지역사회에서만 전개될 수도 있고, 전 세
계 사람들이 참여할 수도 있다. 당신의 동료 혹은 상사, 당신 밑
의 부하직원들이 벌이는 운동일 수도 있다.

인터넷은 사람들을 연결한다. 그것이 인터넷이 하는 일이다.
그리고 운동은 연결된 사람들을 통해 변화를 만들어낸다.

마케터들과 리더들이 일단 소규모 운동을 포착해 불을 붙이면,
이를 따르기로 한 사람들이 저절로 운동에 합류하고 추진한다.

소규모 운동을 만들어내는 핵심 요소는 5가지의 해야 할 일과
6가지 원칙으로 이루어져 있다.

우선 5가지의 해야 할 일은 다음과 같다.

1. 선언하라

사람들에게 선언하고 선언이 멀리 퍼지도록 하라. 선언문 형식으로 작성하여 인쇄하지 않아도 된다. 선언은 진언 혹은 좌우명 같은 것이며 세상을 바라보는 방법이다. 부족원들을 단결시키고 그들을 조직화할 것이다.

2. 추종자들이 당신과 쉽게 접촉할 수 있도록 하라

추종자들이 당신과 연락하고 방문하는 일이 이메일을 보내거나 TV를 보는 것만큼 간단해야 한다. 접촉하는 방법 역시 흥미롭고 다양해야 한다. 페이스북이나 닝 같은 SNS를 이용할수 있고, 그 외의 다른 여러 방법이 있을 수 있다.

3. 추종자들이 서로 쉽게 연결될 수 있도록 하라

한 식당의 단골끼리는 서로 통하는 무엇인가가 있다. 공항 라운지에서 옆 사람과 한 잔의 술을 공유하며 이어지기도 한다. 그보다 더 좋은 것은 발전된 동지애다. 위대한 리더는 추종자들 사이에서 상호작용이 일어나게 하는 방법을 알아낸다.

4. 돈이 운동의 요점이 아니라는 것을 인지하라

돈은 그저 운동을 유지하기 위한 수단이지 목적이 아니다. 돈을 벌고자 하는 순간, 그 운동의 성장을 방해하게 된다.

5. 진행 상황을 기록하라

진행 상황을 공개적으로 기록하고 당신의 추종자들이 진행 상황에 직접 기여할 수 있는 수단을 만들어라.

이제 6가지의 원칙을 살펴보자.

1. 투명성은 유일한 선택지다

실패한 복음 전도사들은 투명성의 중요성을 어렵게 배웠다. 추종자들은 멍청하지 않다. 스캔들이 당신을 쓰러트릴 수도 있다. 당장 추락하지 않더라도 추종자들이 당신에게 실망하는 순간 끝장이 난다. 사람들은 1마일 떨어진 곳에서 나는 악취도 맡을 수 있다.

2. 당신의 운동은 당신 자신보다 커져야 한다

한 작가와 그의 책은 그 존재만으로는 운동이 되지 않는다. 사람들이 당신의 운동에 영향받아 행동을 바꿀 때 그것은 하나의 운동이 된다.

3. 조급함이 모든 것을 망친다

운동은 매일 더 발전하고 더 강력해진다. 목표에 곧 도달할 것이다. 급하게 생각하지 마라. 오늘 당장 결과가 나오지 않는다고 큰일이 일어나는 것이 아니다.

4. 현재 상황과 비교될 때 혹은 다른 방향으로 밀고 나가라는 압력
이 들어올 때 방향이 더 명확해진다

비슷한 목표를 가진 다른 운동과 경쟁하려 할 때 그 힘이 약해
진다. 이기려고 들지 말고, 포용하라.

5. 외부자들을 배척하라

배척은 충성심과 주목도를 높이기 위한 강력한 힘이다. 당신
의 운동에 참여하지 않는 사람이 누구인지 아는 건, 누가 참여
하는지 아는 것만큼이나 중요하다.

6. 다른 사람들을 끌어내리려 하지 마라

전혀 도움이 되지 않는 행동이다. 다른 사람들을 공격하면 당
신의 추종자들에게도 좋은 영향을 끼칠 수 없다.

길거리 저쪽 그 빌딩

그 빌딩은 보트 동호회일 수도 있고, 정당이나 기업 본사일 수도 있다. 프랜차이즈 사업이거나 지역 비영리 단체일 수도 있다. 내가 아는 건, 그곳에 현재 상황을 유지하기 위해 잔업을 하는 부족이 있다는 것이다.

신도들은 매주 나와서 지난주에 했던 것과 같은 종교적 의식과 행동을 하지만 아무런 변화도 없다. 사실 정확히 말하자면 그 의식 '때문에' 아무것도 변하지 못한다. 분명히 말하지만, 그 부족은 변화를 없애기 위해 존재한다.

고객 서비스 센터 직원은 업무 매뉴얼에 적힌 대로 모든 고객을 똑같이 대한다. 그렇기 때문에 손님들이 자신을 무시하더라도 그 이유를 파악하지 못한다.

비영리 단체의 자원봉사자들은 그들이 항상 해왔던 방식으로 일을 한다. 그렇기 때문에 어느 단체에서 일하든 똑같은 결과를 얻고 있다.

몇몇 부족들은 변화하느라 바쁘다지만, 대부분의 부족은 그렇지 않다. 그 부족이 교회이든 기업이든 상관없이 똑같다. 종교는 믿음에 방해가 된다. 멈춰서 있는 행위 그 자체가 행동에 방해가 된다. 규칙은 원칙의 훼방꾼 노릇을 한다.

사람들은 욕구가 아닌 의무 때문에 움직인다. 두려움이 욕구를 이기고, 현재 상황은 정체되고, 조직은 서서히 죽어간다.

슬프지만 이러한 일은 자주 일어난다.

이러한 상황에서 사용 가능한 해독제가 리더십이다. 당신이
원하기만 한다면 사람들이 모이는 모든 곳에서 사용 가능하다.

부족은 강력한
마케팅 채널이다

《타임》지는 미디어 채널이다. CNN과 야후도 마찬가지다. 전통적인 미디어 채널의 장점은 지면 혹은 화면을 빌릴 수 있다는 것이다. 그들에게 돈을 내고 광고 시간을 사라. 구입한 시간은 고객과 관심이라는 대가로 돌아온다. 그리고 관심은 판매로 이어질 수 있다.

구글은 하루에 10억 번 이상 이루어지는 검색이 미디어 채널이라는 것을 깨달았다. 그리고 그들은 그 클릭으로 채널을 팔아서 이득을 보았다.

부족은 다르다.

부족은 가장 효과적인 미디어 채널이지만 부족을 팔거나 빌릴 수는 없다. 부족은 당신이 원하는 것이 아니라 자신들이 원하는 것을 한다. 적극적이고 자발적이다.

이것이 한 부족에 들어가고 이끄는 것이 강력한 마케팅 투자인 이유다.

기꺼이 틀려라

존 조그비John Zogby는 성공한 여론조사 전문가이지만, 앨 고어에 대한 조사는 완전히 틀렸다. 그리고 존 케리John Kerry에 대해서도 틀렸고, 2008년 뉴햄프셔 예비선거에 대한 예측도 틀렸다. 하지만 내가 앞서 조그비를 '실패한 여론조사 전문가'가 아니라 '성공한 여론조사 전문가'라고 말한 것에 주목하라. 만약 그가 틀리는 것을 두려워해서 시도하고 노력하지 않았다면 그는 성공적인 여론조사 전문가가 될 수 없었을 것이다.

아이작 뉴턴은 생애 대부분을 그 당시에는 과학의 한 분야라고 알려졌던 연금술에 바쳤다. 당연히 매우 많은 실험에서 실패를 경험했고 틀린 결과를 내놓기도 했다. 그럼에도 불구하고 그는 지금까지 가장 성공한 과학자이자 수학자로 널리 알려져 있다.

스티브 잡스는 애플 III와 Mac FX와 NeXT 컴퓨터에 대해서 틀렸다. 그것도 완전히.

틀리는 것의 비밀은 틀리는 것을 피하는 데 있지 않다!
당신은 기꺼이 틀려야 한다.
틀리는 것이 치명적이지 않다는 것을 깨달아야 한다.

사람과 조직을 위대하게 만드는 요소는 위대해지지 않으려는 의지이다. 더 큰 목표에 도달하는 과정에서 실패하려는 욕망은 엄청난 성공의 비밀이다.

사람들로 하여금 당신이 원하는 일을 하게 이끌고, 위험도 두려움도 없이 변화를 일으키고, 현재 상황을 마술처럼 변화시킬 수 있는 가장 쉬운 지름길이 있는지 궁금할 것이다. 만약 내가 그런 정답을 알려줄 수 있다면 우선 나부터 이 책의 아이디어를 당신이 받아들이도록 쉽게 설득할 수 있고, 당신은 지금 당장 부족을 만들고 이끌 것이다.

솔직한 대답은, 절대 쉬운 길은 없다는 것이다. 중간 관리자나 CEO, 이단자들 모두에게 똑같이 쉽지 않다. 위험은 항상 닥쳐온다. 그래서 틀리는 것은 모든 것을 위험에 빠뜨리는 것처럼 보이지만, 사실 위험은 그리 나쁘지 않다. 틀리는 것의 부정적인 면은 그다지 크지 않다.

리더십의 비결은 매우 간단하다.

당신의 믿음대로 해라. 미래를 그리고, 그것을 향해 나아가라.

사람들은 자연스레 따를 것이다.

리더십의 타이밍

언제 이끌어야 하는지 정확히 알 수 있는 경우는 드물다. 물론 일어서서, 견해를 밝히고, 아이디어를 퍼뜨리고, 장애물을 제거하고, 용기를 내야 할 타이밍을 쉽게 알 수 있을 때도 있다.

그러나 그보다 더 많은 상황에서, 부족이 예상하지 못할 때 위대한 리더십이 발휘된다.

분명하지 않은 순간들이 중요한 순간들이다.

보수주의 부족을 다루는 법

지금까지 우리는 리더십을 기반으로 변화하고 발전하고 빠르게 움직이는 진보적인 조직으로서의 부족에 대해 이야기해 왔다. 그리고 대부분의 부족이 성장함에 따라 그렇게 된다.

그러나 조만간 부족들은 정체된다. 위키피디아를 다시 얘기해보자. 위키피디아는 보수적 이사회와 수천 명의 헌신적인 자원봉사자들이 운영하는 단체다. 그리고 그들 대부분은 어떤 것도 바뀌길 원하지 않는다.

위키피디아 자원봉사자들은 부족의 모호한 기준에 맞지 않는 수만 개의 페이지를 삭제하는 캠페인을 벌였다. 한편 2006년 10월부터 2008년 7월까지 위키미디어 재단의 이사장을 맡은 플로랑스 드부아르Florence Nibart-Devouard는 재단에 기부를 많이 하는 사람에 대한 반감을 드러냈다. 《뉴욕타임즈》는 '벤처 자본가가 위키피디아의 이사회 멤버가 되려 한다면 소란을 피울 것'이라는 드부아르의 말을 인용한 보도를 내보냈다. 그녀가 근본적으로 다양한 기증자 기반을 선호하는 이유는 어떤 특정한 회사나 단체가 위키피디아에 큰 기부를 하면 위키피디아가 이에 의존하게 될 뿐만 아니라 결국 그들이 위키피디아의 비영리성을 해칠 수도 있다는 우려 때문이었다.

이런 부족은 어떻게 다뤄야 할까?

만약 당신의 목표가 변화를 만드는 것이라면 현 상태를 유지하는 일에 집중하는 다수의 세계관을 바꾸려고 하는 것은 어리석은 일이다. 대신 그 상황을 새로운 부족을 개척하고 새로운 리더십을 찾고 있는 대중 선동가, 그리고 변화를 사랑하는 사람들과 함께 달릴 기회로 삼는 게 낫다.

나는 규모가 크고, 체계가 이미 굳건하게 확립되어 있고, 고착된 부족은 버리는 것도 괜찮다고 생각한다. 당신이 그들에게 이렇게 말해도 괜찮다.

"여러분은 내가 가고자 하는 곳으로 가지 않을 작정이고, 내게는 여러분 모두를 설득하여 나를 따르도록 할 방법이 없지요. 나는 가만히 서서 사라져가는 기회를 지켜보는 걸 선택하느니 여길 떠날 겁니다. 그리고 여러분 중 최고의 역량을 지닌 몇몇이 반드시 나를 따라올 것이라고 장담합니다."

위험할 가능성이 생길 가능성

언젠가 라디오에서 미래의 어떤 행동들과 관련된 '위험 가능성'에 대해 떠들어대는 한 남자의 말을 들었다. 그에 따르면 사람들은 위험이라는 단어를 사용하지 못할 정도로 위험을 두려워한다. 또한 위험이란 실패할 가능성이다. 이것이 그가 청취자들에게 '가능성이 생길 가능성'을 목 놓아 경고했던 이유다.

그 사람 말에 따르면 모든 것이 위험하다.

사실은 그렇지 않다.

그가 했던 말 중에서 유일하게 맞는 말이 있었는데, 위험은 어쨌든 확실히 존재한다는 것이다. 따라서 미래를 더 안전하게 계획할수록 더 위험해진다. 세상이 확실히 변화하고 있기 때문이다.

작은 부족이
큰 조직을 이긴다

뛰어난 벤처 투자가인 프레드 윌슨Fred Wilson은 나로 하여금 전통적인 기업, 회사, 비영리 단체, 교회 등등이 어떤 목적을 가지는지 생각하도록 만들었다.

다음은 윌슨이 노벨 경제학상 수상자인 로널드 코스Ronald Coase의 말을 인용한 것이다.

> 시장을 이용하는 데는 많은 거래 비용이 들어간다. 시장을 통해 상품이나 서비스를 얻는 데 드는 비용은 사실 그 상품의 가격 이상이다. 탐색 및 정보 획득 비용, 협상 비용, 영업 기밀 유지 비용, 치안 유지 및 집행 비용을 포함한 다른 비용들은 모두 잠재적으로 무언가를 구매하는 비용에 추가될 수 있다. 이는 기업이 왜 생기는지를 시사하는데, 상품을 직접 생산할 수 있는 능력을 갖췄을 때, 그리고 각종 거래 비용을 피하고자 할 때 기업을 설립한다는 것을 뜻한다.

이에 따르면 우리는 부족을 이끄는 것보다 적은 비용이 발생할 때 공식적인 조직을 만든다. 예를 들어 직원을 두면 긴밀한 상호작용을 기반으로 소통할 수 있고 더 많이 생산할 수 있다.

군대를 양성하면 전체 인구의 신뢰와 지지를 얻는 것보다 더 믿을 만해 보인다. 덜 공식적인 부족에서 성취하기 어려워 보이는 것들이다.

인터넷이 이러한 상황을 변화시켰다. 인터넷을 통해 예전보다 더 빠르고 크고 비용이 덜 드는 부족을 만들 수 있기 때문이다. 현재의 새로운 경제 환경에서 거래 비용은 빠르게 감소하는 반면 공식적인 조직의 비용은 계속 증가한다.

많은 거대 조직이 부족의 힘을 물리치기 위해 점점 규모를 키우고 있다. 그들은 유연하고 빠르고 때로는 자유로운 힘을 가진 부족을 성공적으로 물리치기 위해 다른 회사들을 구매하며 덩치를 불려나간다. 하지만 부족에 맞서 승리를 거둘 수 있을 것 같지는 않다.

진취성 발휘하기

소심한 사람은 공백을 남긴다.

풍선공장의 노동자들은 무슨 일이 일어날까 봐 항상 두려워한다. 무슨 일이 일어나면 현재 상황을 불안정하게 하고 이는 나쁘다고 생각하기 때문이다.

진취성은 무척이나 성공적인 도구다. 진취적인 사람이 드물기 때문이다. 약간의 행동이나 몇 가지 새로운 아이디어, 아주 작은 발자국도 공백을 메울 수 있다. 깨끗한 식탁보에 하와이안 펀치 위스키 몇 방울을 흘리는 건 큰일이다. 사람들이 쉽게 알아채기 때문이다.

지금은 유명한 가구 디자이너인 바바라 배리 Barbara Barry 가 처음 일을 시작하고 자신의 첫 소파를 제작할 제조 파트너를 찾고 있을 때의 일이다. 그녀는 일류 제조업체의 간부들을 로스앤젤레스에 있는 자신의 전시실로 초대했다.

하지만 그렇게 하기 전에 그녀는 진취성을 발휘했다.

먼저 그녀는 그 업체가 자체 제작 가구에 사용해오던 직물을 대량으로 주문하고, 전시실로 사용해도 될 만큼 큰 사무실을 임대했다. 그런 후 숨 막힐 정도로 대담하고 멋진 가구들을 디자인했고, 그 가구들에 제조업체의 시그니처 직물을 사용했다.

초대받은 간부들은 그녀가 도면을 보여주며 가구 구매를 권유하리라 예상했다. 하지만 그들이 본 것은 자기들 회사의 직물을 이용하여 만들어진 소파와 거기에 붙어 있는 자신들의 브랜드 로고였다.

지금에야 바바라가 했던 일이 별 거 아니라고 말하기는 쉽다. 수천 달러 정도 써서 맞춤 가구를 만드는 게 뭐 대단한 일이란 말인가? 그녀는 그걸 처음으로 해냈고, 가구업계의 규칙을 바꿔 놓았다.

바바라는 자신의 일을 '관리'하지 않았고 제조업체 간부들에게 미리 가구를 만들게 해달라는 허락도 구하지 않았다. 그녀는 이끌었으며 모든 순간을 즐겼을 따름이다.

혁신이 가장 필요한 조직은 혁신이 일어나는 것을 막기 위해 가장 많이 노력하는 조직이다. 역설적이지만 어떤 사람에게 이런 조직은 어떻게 보면 엄청난 기회이기도 하다.

바보같이 굴다

내 동료 길은 미군 중장 러셀 오노레Russel Honoré의 말을 인용하길 좋아한다. 너무 많은 사람이 "바보같이 굴고 있다."

나는 당신의 동료들이 바보 같다고 생각하지는 않는다. 다만 세상이 바뀌면 규칙도 바뀐다. 그리고 어제의 규칙대로 오늘의 경기에 임하겠다고 고집한다면 정말로 바보같이 굴고 있는 셈이다. 세상이 변했기 때문이다.

일부 단체들은 고착되어 있다.

누군가는 빠르게 움직이고 있다.

변화하는 세상에서 누가 더 재미를 보고 있을까?

기부자를 부족원으로 만드는 법

사회활동가 마크 로브너 Mark Rovner는 수년 동안 비영리 단체의 '현재 상황'에 도전해왔다. 그는 도전함으로써 성공적인 결과를 이끌었고 이를 즐기고 있다.

여기 리더들이 고찰해봐야 할 문제의 한 예시가 있다. 마크는 '광고용 우편물을 통한 자금 조달의 미래'에 대한 온라인 토론을 시작했다. 이 자금 조달 방식은 대부분의 비영리 단체들의 생명줄이지만 서서히 말라가고 있다. 비영리 단체들은 인터넷이 모든 문제에 대한 해결책이 되기를 바라지만, 마크가 지적했듯이 그렇지 않다.

광고용 우편물의 시대는 끝났다. 광고용 우편물의 경제성이 떨어지고 있다. 그것은 논란의 여지가 거의 없는 사실이다. 우편물을 보내는 비용은 점점 더 많아지고, 우편물에 응하는 새로운 기부자는 줄어들고 있다. 이런 경향은 기존 기부자들의 기부로 다소 가려졌지만 조만간 위기는 수익 보고서의 가장 아랫줄까지 영향을 미칠 것이다. 이미 몇몇 비영리 단체는 이러한 위기를 경험하고 있다. 온라인 모금 모델도 기껏해야 임시방편일 뿐이다.

나는 미국의 50대 비영리 단체 대부분에 절망했다. 그들은 규모는 크지만 고착되어 있다. 좀처럼 변할 생각이 없다. 만약 당신이 속한 조직의 규모가 크면 큰 규모에 익숙해져 그 규모를 유지하고자 애쓸 것이다. 이는 차세대 직원들이 기존에 진행되던 일을 그대로 하기 위해 고용되었음을 의미한다. 큰 위험과 말도 안 되는 계획들은 그들의 눈살을 찌푸리게 한다.

인터넷은 광고용 우편물을 통한 자금 조달의 대체재가 아니다. 사실 인터넷은 그걸 넘어서 광고용 우편물보다 훨씬 큰 역할을 한다.

인터넷이 시작된 이래 많은 비영리 단체들은 웹사이트를 만들었고 여기에서 많은 수입을 창출했다. 이는 종종 훌륭한 전환과 현명한 마케팅으로 해석되었는데, 잘못된 해석이다. 사실 인터넷을 다룰 줄 아는 기부자들이 어쨌든 그들이 보냈을 돈을 더 편리한 방법으로 보낸 것뿐이다.

진정한 의미의 성과를 얻기 위해서는 비영리 단체에 기부하는 것의 의미 자체를 바꾸어야 한다. "나는 사무실에서 기부했다."라는 생각과 12월의 마지막 주에 기부하겠는 생각은 의무감에서 비롯된다. 많은 사람이 죄의식을 완화하거나 친구를 기쁘게 하려고 기부한다. 이런 식으로는 비영리 단체들이 더 높은 곳으로 오를 수 없다. 불가능하다. 웹사이트나 이메일함에서 삭제 버튼을 누르는 것은 광고용 우편물을 무시하는 것보다 훨씬 쉽고, 심지어 아무도 알아채지 못한다.

큰 성과를 얻기 위해서는 기부자들을 후원자, 운동가, 그리고 참여자로 만들어야 한다. 가장 큰 기부자는 단지 금전적 기부만 하지 않고 적극적으로 직접 참여하여 배고픈 사람에게 수프나 음식을 제공하는 사람들이다. 나의 어머니는 뉴욕주 버팔로에 있는 올브라이트-녹스 미술관Albright-Knox Art Gallery에서 수년간 자원봉사를 했다. 박물관에서 발행하는 월간지를 받는 사람들보다 나의 어머니와 같은 사람들이 박물관에 더 많이 기여한다는 것은 의심할 여지가 없다.

인터넷은 온라인으로 참여할 수 있게 해준다. 또한 온라인 참여에 대한 아이디어들을 재구성함으로써 신규 후원자 확보보다는 기존 후원자에게 감사를 표시하고 유지하는 데 더 많은 자원을 쓸 수 있도록 한다. 인터넷은 비영리 단체들의 새로운 지렛대이다. 이는 자원봉사자들에게 단체를 개방하고 그들이 서로 연결될 수 있도록 격려하는 것을 의미한다. 이는 당신의 모든 전문가에게 블로그를 주고 사용할 수 있는 자유를 준다는 것을 의미한다. 또한 자원봉사자들이 마구 뒤섞여 다소 혼란스럽고 위태위태한 상태가 되는 것을 의미한다. 이것은 당연히 많은 비영리 단체에게 무서운 일이지만, 나는 다른 선택권이 있을지 잘 모르겠다.

당장 옛 방식을 버려야 하는가? 물론 그렇지 않다. 그러나 책임감 있게 업무를 수행하려면 인터넷이 광고용 우편물의 역할을 하도록 강요하는 대신, 이단자들을 찾아내야 한다. 그리고 그들을 배척하는 대신, 힘을 실어줘야 한다. 새로운 것을 만들 수 있는 유연성과 자율성을 보장해야 한다.

리더는 상대를 탓하지 않고
자신을 돌아본다

만약 당신이 내 말을 듣고도 믿지 않는다면, 그것은 당신의 잘못이 아니라 나의 잘못이다.

만약 당신이 내가 출시한 새 상품을 보고도 사지 않는다면, 그것은 나의 실패이지 당신의 실패가 아니다.

만약 당신이 나의 프레젠테이션에 참석했는데 지루함을 느낀다면, 그것 또한 나의 잘못이다.

만약 당신이 부족을 지원하는 좋은 정책을 실행하자는 나의 말에 설득되지 않았다면, 그것은 당신의 잘못이 아니라 나의 열정과 기술이 부족하기 때문이다.

만약 당신이 나의 학생이고 당신이 내가 가르치는 것을 배우지 못한다면, 나는 당신을 실망시킨 것이다.

답을 얻기 위한 최소한의 노력도 하지 않는다고 주장하기는 정말 쉽다. 사용자, 학생, 혹은 고객을 탓하기는 정말 쉽다. 이들이 열심히 노력하지 않거나, 너무 어리석어 아무것도 얻을 수 없거나, 주의를 기울이지 않는다며 비난하기 쉽다. 내가 이끄는 만큼 열심히 따르지 않는 부족원들을 비난하고 싶은 유혹에 사로잡힐 수도 있다. 하지만 그 무엇도 당신에게 도움이 되지 않는다.

그러면 무엇이 도움이 될까? 의사소통에 있어 선택의 여지가 있음을 깨닫는 것이다. 당신의 상품을 사용하기 쉽게 디자인할 수 있다. 사람들이 당신의 이야기를 잘 받아들이도록 글을 쓸 수 있다. 청중의 귀를 사로잡는 훌륭한 전략을 동원해 프레젠테이션할 수 있다. 무엇보다도, 당신을 이해하는 사람을 선택할 수 있다(물론 이해하지 않는 사람도 선택할 수 있다).

설득의 기술

부족이 성장함에 따라 그 성장을 가속화하고 부족에 합류할 더 많은 사람을 찾는 것은 꽤나 멋진 일이다.

대부분의 사람들은 이미 다른 부족의 일원이다. 광적인 축구 팬을 미식축구 팬으로 바꾸도록 설득할 수 있다면 그것은 쿠데타다. 또는 유대인들이 기독교로 개종하도록 장려하는 광고를 《뉴욕타임즈》에 싣는다고 생각해보라. 어떤 정치인은 반대당에서 가장 목소리가 큰 당원들을 자신의 당으로 끌어들이기 위해 열심히 구애한다.

소용없는 짓이다.

사람들은 바꾸는 것을 좋아하지 않는다. 많은 사람들이 회사에 들어가 마침내 회사가 파산을 선언할 때까지 몇 년이고 열심히 일한다. 입사할 때의 그 회사가 아니라는 걸 알면서도 그러는 이유는, 편을 바꾼다는 것은 자신이 실수를 저질렀다는 것을 인정하는 것이기 때문이다.

다른 부족의 가장 충성스러운 구성원들을 당신과 함께하도록 설득해봤자 부족은 성장하지 않는다. 그들은 마지막에 올 것이다. 대신 부족을 찾아다니는 사람들을 영입해야 한다. 활기가 넘치고 성장하고 있는 부족에 들어가 충만한 소속감을 느끼기를 원하는 사람들 말이다.

나는 무감각한 외부인이나 부족에 소속되고 싶어 하지 않는 외톨이들에 대해 말하고 있는 것이 아니다. 나는 한 부족에서 다른 부족으로 뛰어넘을 수 있는, 변두리에 있는 사람들에 대해 말하고 있다.

만약 부족이 다른 전략을 취하도록 설득하려 한다면 당신 의견과 완전히 반대쪽에 있는 사람들부터 시작하지 마라. 대신 아직 다른 사람들에게 포용되지 않은 열정적인 개인들과 함께 시작하라. 이런 사람들을 점점 더 많이 당신의 부족으로 끌어들일수록 당신의 선택은 더 안전해지고 강력해진다. 점점 더 많은 사람들이 저절로 당신의 부족에 동참할 것이다.

아니오 vs 아직

변화와 리더십의 가장 큰 적은 '아니오'가 아니라 '아직'이다. '아직'은 변화를 방지하는 가장 안전하고 쉬운 방법이다. '아직'은 현재 상황이 재결집할 기회를 주고 피할 수 없는 것을 잠시 더 미룰 기회를 준다.

변화는 너무 이르기 때문에 거의 실패하지 않는다. 너무 늦었을 때 거의 항상 실패한다.

다음의 그래프는 시간의 경과에 따른 거의 모든 혁신의 이점을 보여준다.

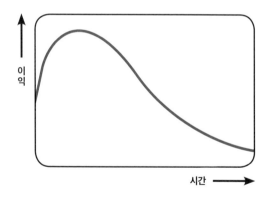

혁신을 위한 준비가 되었다는 것을 깨달을 때는 너무 늦었을 수 있다.

"때가 아니다."

"천천히 해라."

"기다려라."

"지금은 다른 사람의 순서다."

이 중 어느 것도 변화를 모색하는 리더에게 적합하지 않다. 너무 일찍 하면 작은 대가를 치르지만, 너무 늦으면 큰 벌금이 부과된다. 사실 혁신을 하기 위한 '너무 이른 때'란 존재하지 않는다. 혁신을 시작하기 위해 오래 기다릴수록 당신의 노력 역시 점점 가치가 떨어진다.

리더십은 예술이다

마술사인 제이미 이안 스위스Jamy Ian Swiss는 자신의 마술공연장에서 공연을 방해하는 짜증나는 아이에 대해 글을 썼다. 그 아이는 이렇게 외쳤다. "당신의 트릭을 알고 있다!"

그 아이가 트릭을 '안다'는 것이 정말로 중요한가?

세상엔 트릭을 쓰는 방법에 관한 설명서가 많이 있다. 많은 사람이 리더십의 트릭을 해부하기 위해 끝없이 노력해 왔다. 트릭의 비결을 그렇게 쉽게 알 수 있다면, 왜 그렇게 소수의 사람만 그 트릭을 사용할 수 있는 걸까? 트위스트 에이스나 프렌치 드롭 트릭을 어떻게 하는지 쉽게 알 수 있다면, 왜 소수의 사람만이 그걸 해내는가?

트릭이 어떠한 방식으로 진행되는지를 아는 것은 아무런 의미가 없다. 그 트릭을 실행하는 것은 '예술'이다. 리더십의 기술은 쉽지만 예술은 어려운 분야다.

작가 애덤 고프닉Adam Gopnik은 스위스의 말을 인용하여 다음과 같이 이야기했다.

"마술은 오직 구경꾼의 마음속에서만 일어난다. 다른 모든 것은 방해가 될 뿐이다. … 마술의 방법론 역시 어떻게 보면 마술에 방해가 된다. 마술사가 자신의 욕망과 욕구를 포함한 다른 모든 것을 제쳐두고 관객들에게 놀라운 경험을 선물하는 데 집중하지 않으면 결코 마술의 세계로 들어갈 수 없다. 그게 바로 마술이다. 다른 방법은 없다."

고프닉의 말에서 마술이라는 단어를 리더십으로 바꿔보자.

리더십은 예술이다. 진정한 관대함을 갖추고 부족과의 본능적 유대감을 가진 사람들만이 성취할 수 있다. 헌신하지 않으면 트릭과 전술을 알아봤자 아무런 소용이 없다.

혁명이 TV에
나오지 않는 이유

리더십이 발휘되는 생생한 현장을 보기란 쉽지 않다. 사람들을 대개 혁신을 늦게 알아차리는 경향이 있는데, 리더십은 예상하지 못한 곳에서 시작되기 때문이다.

고도 산업사회에서 시장을 이끄는 리더는 산업 전체를 갑자기 뒤집는 혁신을 개발하는 사람이 아니다. CEO나 부사장이 조직 내에서의 진정한 리더십을 발휘하는 경우는 거의 없다.

리더십은 당신이 보지 못했던 곳에서 시작된다.

형편없는 전략

희망을 비판하기는 쉽다. 그렇기에 결국 냉소주의는 형편없는 전략이 되고 만다.

전략이 없는 희망은 리더십을 창출하지 못한다. 리더십은 당신의 희망과 긍정적인 마음가짐이 미래에 대한 구체적인 비전 및 전략과 일치할 때 생긴다. 당신 자신부터 원하는 미래에 도달할 수 있다고 믿어야 한다. 그렇지 않으면 사람들은 당신을 따르지 않을 것이다.

매니저들은 냉소적이다. 매니저들은 비관론자들이다. 그들은 이미 사람들이 자신들을 따르지 않는 것을 경험하고 목격했기 때문이다. 반면에 리더들은 희망을 가지고 있다. 희망 없이는 미래도 없다.

벌거벗은 바이올리니스트:
비난에 봉착해도 굴하지 마라

바이올린 영재로 일찍이 이름을 알린 타스민 리틀Tasmin Little은 다른 많은 바이올리니스트들이 사라진 오랜 후에도 그녀의 경력과 명성을 오래 유지하고 있다. 현재 활발히 활동하는 위대한 바이올리니스트 중 하나인 그녀는 여전히 콘서트 투어를 하고 부킹 에이전트를 두고 음반을 낸다.

이런 그녀가 2008년에 시도한 일은 가히 혁신적이었다. 새 앨범 〈Naked Violin〉을 홈페이지에 공개해 무료로 다운받을 수 있게 한 것이다. http://www.tasminlittle.com/free_cd/에서 곡에 대한 해설을 주석과 함께 모든 것을 무료로 들을 수 있다.

타스민은 청중이 다음의 세 단계를 하도록 유도했다. 첫째, 음악을 무료로 다운받아 듣는다. 둘째, 타스민의 웹사이트 혹은 이메일을 통해 감상 소감을 보낸다. 셋째, 콘서트장을 찾거나 음반을 사는 게 주저된다면 그 이유가 무엇인지 타스민에게 의견을 보낸다. 타스민은 청중들이 클래식 음악을 즐기는 걸 가로막는 장벽이 무엇인지 확인하고, 더 많은 사람이 클래식 음악을 즐길 수 있는 길을 찾고 싶어 했다.

타스민은 운동을 주도하고 있다. 그녀는 클래식 음악을 전파하기 위해 많은 시간과 에너지를 투자해 헌신적으로 노력하고 있다. 그녀는 단지 영상과 음원을 업로드하는 데서 그치지 않고 정기적으로 교도소와 작은 마을, 학교를 방문해 연주를 한다. 음악 외의 방식으로도 자기 자신의 가치를 더하는 그녀는 재미로 이런 일을 하는 것이 아니다. 그녀는 리더이다.

타스민의 독창적인 아이디어는 곧 저항에 봉착했고 조롱당하기도 했다. 아직까지도 클래식을 신성화하고 고급문화로 유지시키려는 관습이 너무 강하다. 처음부터 그녀가 전 세계적인 환호와 관심과 박수를 받은 것은 아니었다. 오늘날 그녀가 세계적 명성을 얻을 수 있었던 요인은 그녀의 집중력과 추진력과 끈질긴 노력이다.

당신의 부족이 소통하는 방식

앞에서도 언급한, 어큐먼펀드의 설립자 내 친구 재클린은 국제 아동기구 유니세프가 르완다의 엄마들에게 아동 백신 접종을 홍보하기 위한 포스터를 만드는 데 얼마나 많은 돈을 낭비하는지 언급했다. 그 포스터는 르완다 엄마와 아이들의 사진을 사용했고 화려하게 디자인되었으며, 유아 예방접종의 중요성을 간단한 문장으로 압축하여 르완다 공용어인 카나르완다어로 번역해 담았다. 그러나 르완다의 여성 문맹률은 70%에 육박한다. 과연 이 포스터가 아주 작은 홍보 효과라도 거둘 수 있겠느냐고 재클린은 한탄하듯 말했다.

재클린은 문맹률이 높은 르완다에서는 무엇인가를 홍보하고 메시지를 퍼트리는 방법으로 노래를 이용한다는 사실을 알아차렸다. 멤버 전부가 여성인 한 그룹은 다른 여성들을 위한 노래를 부르곤 했는데, 아이디어를 퍼뜨리는 아주 좋은 방법이자 최상의 선물이다. 노래가 없다면 메시지도 없다.

당신의 부족은 소통한다. 그들의 소통방식은 아마도 당신의 방식과 다를 것이고 당신이 생각하는 것만큼 효율적이지 않을 수도 있다. 하지만 그들은 여전히 소통하고 있다. 리더로서 당신의 도전 과제는 그 노래가 무엇이든지 당신의 부족이 노래를 부르도록 돕는 것이다.

X상:
아이디어보다 중요한 것

피터 디아만디스Peter Diamandis는 우주 비행을 위한 새로운 해결책을 추구할 가능성이 있는 발명가, 금융가, 탐험가들로 이루어진 부족에 활력을 불어넣고 싶었다. 그는 NASA의 제한적인 리더십을 맹목적으로 따르지 않았다. 대신 그는 자신의 방식대로 일하기로 결정했다. 그는 유인 우주선을 100km 상공 우주로 성공적으로 쏘아올렸다가 무사 귀환시키는 임무를 2주 동안 2번 수행하는 첫 번째 팀에게 1,000만 달러의 상인 'X상'을 시상하기로 결정했다.

우승자 버트 루탄Burt Rutan은 1,000만 달러의 상금을 받는데, 대회에 참석하는 비용으로 2,000만 달러 이상을 투자받았다. 피터의 단순하지만 획기적인 시도와 리더십으로 인해 수십 팀이 경쟁을 했고, 경쟁 과정에서 상금의 10배가 넘는 투자가 이루어졌다. 무엇보다도 중요한 것은, 그 리더십이 새로운 참여자들과 새로운 종류의 공동체를 가진 새로운 분야를 만들어냈다는 것이다.

피터가 그 아이디어를 꺼냈을 때 사람들은 어리석은 아이디어라고 생각했다. 아무도 즉각적으로 그를 지지하지 않았고, 피터의 아이디어에 열광하거나 그와 당장 함께하기를 열망하는 사람도 없었다. 그의 아이디어가 실현되도록 이끈 원동력은 아이디어 그 자체가 아니었다. 혁신이 필요한 도전과제에 상금을 거는 아이디어는 '오르테 상'*의 반복에 불과했다. 피터의 리더십과 헌신이 X상을 성공으로 이끌고 부족을 만들었다.

아이디어는 중요한 요점이 아니다.
부족을 조직하는 것이 요점이다.

---

* 1919년 호텔 갑부 레이먼드 오르테(Raymond Orteig)는 뉴욕-파리 간의 대서양 무착륙 비행에 성공하는 비행사에게 2만 5,000달러를 상금으로 지급하겠다고 발표했다. 1927년 미 육군 항공대 소속 우편배달기 조종사였던 찰스 린드버그 (Charles Lindbergh)가 뉴욕에서 출발해 36시간 만에 파리에 도착하는 데 성공했다.

누가 신경 쓰는가?

'신경 쓰는 것'은 부족을 꾸리는 데 있어 중요한 생각이다. 부족 구성원들은 무슨 일이 일어나는지, 그들의 목표와 서로에 대해 신경을 쓴다. 그러나 많은 조직들은 '누가 신경 쓰나?'라는 질문에 답하지 못하고 있다. 왜냐하면 사실 아무도 신경 쓰지 않기 때문이다.

메뉴가 바뀌어도 아무도 신경 쓰지 않는다.

간접비용으로 사용되는 모금 수입원의 비중이 달라져도 아무도 신경 쓰지 않는다.

상품의 색상이 바뀌어도 아무도 신경 쓰지 않는다.

목적이 다른 부족원이 있어도 아무도 신경 쓰지 않는다.

아무도 신경 쓰지 않는다면, 당신에게는 부족이 없는 것이다.

당신이 신경 쓰지 않는다면, 당신은 부족을 이끌 수 없다.

리더가 되기 위한
7가지 조건

리더는 현재 상황에 도전한다.

리더는 목표를 중심으로 문화를 형성하고 다른 이들이 그 문화에 참여하도록 한다.

리더는 막대한 호기심을 바탕으로 세계를 바꾸고자 한다.

리더는 카리스마를 발휘하여 추종자들을 끌어 모으고 그들에게 동기를 부여한다.

리더는 미래에 대한 비전을 공유한다.

리더는 비전에 헌신하고 그 비전을 바탕으로 의사결정을 한다.

리더는 추종자들을 서로 연결해준다.

당신의 조직이나 지역사회의 리더를 생각해보면 그들 모두가 이 일곱 가지 요소를 적절히 조합하여 사용하고 있음을 알 수 있을 것이다.

당신은 리더가 되기 위해 권력을 획득하거나 매력적으로 치장하거나 다른 리더와 접촉할 필요가 없다. 핵심은 헌신이다.

카리스마는 타고나는가?

당신이 만났던 카리스마 있는 리더들을 떠올려보자. 그들은 어릴 수도 있고 나이가 많을 수도 있다. 부자일 수도 있고 가난할 수도 있다. 유색인종일 수도 있고 백인일 수도 있다. 남자일 수도 있고 여자일 수도 있다. 외향적일 수도 있고 내향적일 수도 있다. 그들의 공통점은 그들이 리더라는 것뿐이다.

대부분의 사람들이 카리스마가 있으면 리더가 된다고 착각한다. 사실은 그 반대다. 리더가 되면 카리스마가 생긴다.

몇몇 리더들은 언어 장애와 대중 연설 공포증이 있다. 조직의 말단에 있는 리더도 있고, 돈이 없는 리더 혹은 매우 강력한 권력을 가진 리더도 있다. 못생긴 리더도 있다. 단언컨대 카리스마는 매력에 대한 것이 아니다.

자신에게 카리스마가 없다고 변명하는 것은 쉽다. 대부분의 사람들은 카리스마가 있는지 알아볼 수 있는 체크리스트 같은 걸 만들어 테스트를 해본 후 자신에게 카리스마가 없다면서 맥을 놓는다. 이런 식이다. "나는 다른 리더들처럼 카리스마를 타고나지 않았으니까 그냥 따라가는 것으로 만족해야 할 것 같아."

틀렸다. 다른 사람들도 카리스마를 가지고 태어나지 않았다.

카리스마는 주어지는 것이 아니라 만드는 것이다.

로널드 레이건의 비밀:
경청하되 휩쓸리지 않기

우리는 경청하는 리더를 원한다. 그러나 그런 리더를 찾는 것은 쉽지 않다. 왜 그럴까? 경청을 '대중과 함께 가는 것' 또는 '대중의 의견에 휩쓸리는 것'과 혼동하기 쉽기 때문이다. 비전을 가진 리더는 경청하지 않는 것처럼 보일 가능성이 높은데 그 이유는 대부분의 사람들은 리더가 평범해지기를 원하고 리더를 지금 자리에 주저앉히기 때문이다. 만약 헨리 포드가 옛말을 들었다면 지금 우리는 자동차가 아닌 4륜마차를 타고 다녔을 것이다.

지금부터 경청의 비밀을 알려주겠다. 로널드 레이건Ronald Reagan의 인기 비결은 사람들의 이야기를 귀담아 듣고, 그것을 가치 있게 다루며, 결정을 이끌어내는 것이었다. 그 결정은 그가 들은 이야기들과 모순되는 경우도 있었다. 그럼에도 불구하고 레이건의 적극적으로 경청하는 자세는 그의 친구와 적, 그리고 유권자들에게 깊은 인상을 주었다.

사람들은 자신의 말을 그저 들어주기를 원한다.

자신이 말한 대로 리더가 수행하는지 혹은 하지 않는지 여부에는 덜 집중한다.

클라우드 서비스 업체인 랙스페이스Rackspace의 창업자인 그레이엄 웨스턴Graham Weston은 새 본부 사무실을 도시의 침체된 지역으로 옮길 계획을 세웠다. 그는 직원들을 설득해야 했다. 그는 그들에게 강의도 하지 않았고 심지어 구슬리려고도 하지 않았다. 그는 오직 듣기만 했다. 그는 이삿짐 싸는 것을 망설이고 있던 직원들을 일일이 만나 그들의 견해를 말하도록 했다. 그것이 직원들을 이끌 때 필요한 것이었다. 그는 그저 그들의 말을 들어 줬다.

잘 들어라. 들은 후 결정을 내리고 움직여라.

진정한 통찰력은
항상 저항에 부딪힌다

일단 비전의 아웃라인을 스케치하고 그것이 옳다는 것을 증명하면 사람들이 당신을 지지하기 위해 줄을 설 것이라는 신화가 있다. 그러나 그것은 근거 없는 신화다.

사실은 정반대다. 눈에 띄는 비전과 진정한 통찰력은 항상 저항에 부딪힌다. 그리고 당신이 진전을 보이기 시작하면, 당신의 노력은 훨씬 더 많은 저항에 부딪히게 된다. 제품, 서비스, 커리어 등 그것이 무엇이든 간에, 평범의 힘(어쩌면 '평범함을 위한 힘'일지도 모른다)은 당신을 저지하기 위해 온갖 노력을 할 것이고 당신이 저지르는 단 하나의 오류도 용서하지 않을 것이다. 당신이 멈출 때까지 결코 물러서지 않을 것이다.

당신이 다른 길을 택했더라면 쉬웠을 것이지만 그 '다른 길'은 모든 사람들도 택하는 길이고 결국 그 길은 가치가 떨어질 것이다. 음과 양은 분명하다.

만약 다른 사람들이 당신이 하려는 일을 나서서 반대하지 않는다면, 그 길은 여행할 가치가 없을 가능성이 높다. 그러니 당신의 고집을 버리지 마라.

책을 파는 방법

내 친구 프레드는 새 책의 출간을 기다리며 마케팅 아이디어를 얻기 위해 여기저기 돌아다니고 있었다. 그는 내가 알려준 방법에 많이 놀랐을 것이다.

그 방법은 이렇다.

우선 하나를 팔아라. 당신을 신뢰하고 좋아하는 한 사람을 찾아서 책 1부를 팔아라.

그가 그 책을 좋아하는가? 그 책을 받고 신이 났나? 10명의 친구에게 책에 대해 말할 만큼?

부족은 부족원들이 다른 사람들을 부족으로 끌어올 때 성장한다. 아이디어도 똑같은 방식으로 퍼진다. 물론 부족은 '당신을 위해' 다른 사람들을 모으지 않는다. 그들은 서로를 위해 그렇게 한다. 리더십이란 좋은 생각을 퍼뜨릴 수 있는 플랫폼을 마련하는 기술이다. 만약 프레드의 책이 퍼지면 그는 훌륭한 출발을 할 수 있다. 만약 그렇지 못한다면 새로운 책이나 더 나은 플랫폼이 필요하다.

어려운 것이 쉬워지고,
쉬운 것이 어려워지다

예전에는 쟁기로 밭을 가는 것은 정말 힘들었고 차를 만드는 데 필요한 강철을 찾기도 정말 어려웠으며 적당한 가격에 뉴욕에서 클리블랜드까지 소포를 운반하기도 어려웠다. 신생 회사가 투자를 받는 것, 소비자들이 제품을 쉽게 찾을 수 있도록 선반공간을 확보하는 것도 어려웠다. 공장을 운영하기가 정말 어려웠다.

이제 이런 일들은 모두 쉬워졌다. 원하는 것보다 비용이 더 들지도 모르지만 일단 체크리스트에 적어놓으면 완료할 수 있다.

지금 어려운 것은 규칙을 어기는 것이다. 이단자가 되기 어렵고, 혁신을 추구하기 어렵고, 팀을 이끌고 엄청난 저항을 뚫고 문 밖의 세상으로 밀고 나가기 어렵다.

성공적인 사람들은 이러한 일들을 잘하는 사람들이다.

세계에서 가장 권위 있는 오케스트라 중 하나인 로스앤젤레스 필하모닉이 새로운 지휘자를 찾아 나섰을 때 거의 1,000명 정도의 후보자를 추렸다. 모두가 그 능력이 검증된 세계적인 수준의 지휘자들이었다.

로스앤젤레스 필하모닉은 최종적으로 구스타보 두다멜Gustavo Dudamel을 선택했다.

이들의 결정은 그야말로 돌풍을 일으켰다. 베네수엘라 출신의 그는 임명 당시 26살에 불과했다. 그의 이력서는 다른 선배들의 이력서와 비교하기조차 민망할 정도로 초라했다. 그럴싸한 경력이 없었다는 뜻이다. 그러나 로스앤젤레스 필하모닉은 전통적인 방식으로 지휘를 잘하는 지휘자는 언제든 찾을 수 있다는 사실을 알고 있었다. 로스앤젤레스 필하모닉이 원했던 지휘자는 전통적인 방식이 아닌 새로운 방식으로 오케스트라를 새로운 청중에게 인도할 수 있는 리더였다.

로스앤젤레스 필하모닉이 내린 결정의 진짜 의미는 무엇일까? 1,000명의 훌륭한 지휘자들 중에서, 필하모닉이 현재 상황에 도전하고 싶어 하는 신인을 선택했다는 뜻이다. 이단자들은 항상 이런 종류의 성공을 발견한다.

성공과 시도와 노력의 관계

하룻밤 사이에 확 바뀌거나, 시장에서 바로 성공한다거나, 획기적인 아이디어가 순식간에 생긴다는 것은 근거 없는 신화. 이런 일은 항상 서서히 일어난다. 개선은 쉽게 얻을 수 있는 만루 홈런이 아니다. 개선은 한 번의 시도마다 조금씩 일어난다.

세계적인 마케팅 권위자 로라 리스Laura Reis가 아이폰은 절대 성공하지 못할 것이라고 말한 것을 잊기 쉽다.* 비자와 마스터카드는 우리 삶에 스며드는 데 몇 년이 걸렸던 거대한 아이디어였다. 항상 손님이 줄을 서 있는 작은 식당들도 처음부터 손님들이 줄 서서 기다렸던 것이 아니다.

만약 당신의 조직이 노력도 하지 않으면서 성공을 바란다면 결국 노력도 성공도 얻지 못할 것이다.

리더십을 구성하는 큰 요소 중 하나는 오랫동안 꿈꿀 수 있는 능력이다. 당신을 비판하는 사람들이, 당신은 어떻게든 당신의 꿈에 도달할 것이라는 것을 깨닫기 충분할 정도로 오래 꿈꿔야 한다. 비평가들은 결국 당신을 따르게 될 것이다.

---

* 2007년 그녀는 자신의 블로그에 "세스 고딘은 아이폰이 더 많이 팔릴 것이라 예상하지만 나는 아이폰이 장기적으로 성공하지 못할 것이라 생각한다."라는 요지의 글을 썼다.

긍정적 이탈:
불가능 속에서도 성공을 이끄는 힘

리더들을 어떻게 관리해야 하는가?

리더는 조직의 어느 위치에서든 나타날 수 있다. 고위 간부의 역할은 조직 내부의 리더들을 찾고 그들을 지원하는 것이다. 각각의 리더들은 그들만의 부족을 구성한다. 누군가는 그 부족들을 다시 이끌 필요가 있다. 이는 '긍정적인 이탈'이라는 개념으로 이어진다.

긍정적인 이탈이란 특정 집단 안의 난제를 해결할 때 '분명 누군가는 이 문제를 극복한다.'라는 가정에서 출발한다. 그리고 집단 내부에 있는 특별한 이탈자를 발굴하여 그들의 방식을 집단 내에 확산시켜 난제를 해결하는 것이다.

매니저는 이탈하는 사람들을 좋아하지 않는다. 확립된 표준으로부터의 이탈 행위는 관리자가 정한 규칙을 이행하는 데 실패했다는 지표다. 그래서 대부분의 매니저들은 이탈 행위와 이탈하는 사람들을 근절하기 위해 열심히 노력한다. 그들이 하는 일은 이탈하는 사람들을 찍어내는 것이다.

리더는 다름을 인정한다. 변화는 모든 곳에 존재할 뿐만 아니라 성공의 열쇠라는 것을 이해한다. 그리고 변화에 전념하고 변화를 일으키는 데 열심인 직원들이 더 행복하고 더 높은 생산성을 창출하는 것으로 나타났다.

이 두 가지 사실을 종합해 보면, 더 많은 리더, 더 많은 이탈자, 더 많은 변화의 동인이 절실히 필요하다는 결론에 어렵지 않게 도달한다.

위대한 리더는 이탈자들을 찾아내려 노력한다. 그리고 혁신을 시도하는 이탈자들을 결국 찾아내 그들을 포용한다.

긍정적 이탈의 개념은 제리 스터닌Jerry Sternin이 세이브더칠드런에서 벌였던 구호 및 원조 활동에서 비롯되었다. 그는 세이브더칠드런에서 활동할 때 굶주린 아이들을 돕는 임무를 가지고 베트남으로 갔다. 처음 도착했을 때의 상황은 절망적이라고 해도 과언이 아니었다. 주어진 예산도 형편없었고 베트남 정부 역시 추가 자금 지원을 약속하지 않았기 때문이다.

이런 상황에서 그가 선택한 길은 색달랐다. 그는 기존에 효과가 있는 것으로 알려진 식사 제공과 같은 원조를 택하지 않았다. 그는 절망적인 집단 내의 이탈자들, 즉 똑같이 가난한데도 영양실조에 걸리지 않은 아이들을 주목했다. 어떤 차이가 있었을까?

비결은 하루 세 끼 규칙적인 식사였다. 식사를 규칙적으로 하는 것만으로 영양실조에 걸리지 않았던 것이다.

제리는 아이들에게 규칙적인 식사를 먹이는 부모, 즉 이탈자들이 문제 해결의 열쇠임을 깨달았다. 그는 이탈자들을 설득해 이 습관을 다른 가족들에게 퍼뜨릴 수 있도록 이끌고 도왔다.

듣고 보면 뻔한 이야기이지만, 사실 이단적이고 혁신적이다. 그때까지는 외부 구호요원이 어려움을 겪고 있는 마을에 가서 그들의 생활방식을 고치려 드는 것이 표준적인 방식이었고, 그렇게 하지 않으면 다들 미쳤다고 생각했기 때문이다.

그는 경영 매거진《패스트컴퍼니》와의 인터뷰에서 다음과 같이 밝혔다. "사회적이고 조직적인 변화의 전통적인 모델은 효과가 없다. 단 한 번도 효과가 있었던 적이 없었다. 외부에서 들여온 해결책 역시 내부의 문제를 영구적으로 해결할 수 없다."

제리와 그의 아내 모니크는 개발도상국에서 미국 동북부 뉴잉글랜드에 있는 병원에 이르기까지 전 세계적으로 이러한 방식을 취해왔다. 이 과정에서 제리와 모니크는 간단한 사이클을 발견했다.

첫째, 기존과는 다른 방식으로 일을 하고 변화를 만드는 이탈자를 찾아낸다. 둘째, 그들의 일을 증폭시키고 일을 할 수 있는 적절한 플랫폼을 제공한다. 셋째, 그들이 추종자들을 찾도록 도와준다. 그러면 모든 것이 좋아진다. 스터닌과 모니크는 자신들이 손을 댄 모든 것을 더 좋게 만들었다.

나는 그들이 하는 일이 조금 하기 힘들어 보인다는 이유로 무시당하지 않기를 바란다. 왜냐하면 그들의 방식은 매우 중요하면서도 효과적인 아이디어이기 때문이다. 제리가 한 일은 건강한 아이들과 함께 있는 이탈자 엄마를 찾는 것뿐이었다. 제리와 이탈자 엄마들은 마을의 다른 사람들이 이탈자 엄마들의 양육 방식을 체화하도록 도왔다. 제리는 이탈자 엄마들에게 주목했고 그들이 영양실조 문제에 적극적으로 활동을 계속할 수 있도록 격려했다. 더 중요한 것은, 다른 마을 사람들이 그들의 선례를 따르도록 격려했다는 사실이다.

긍정적 이탈 전략은 간단하면서도 효과적이다. 어쩌면 이 책 전체에서 가장 중요한 실용적인 아이디어일지도 모른다.

기회가 아닌 의무

그리 멀지 않은 곳에, 심지어는 겨우 몇 블록 떨어진 곳에, 충분한 먹을거리도 돌봐주는 부모도 없는 아이들이 있다. 그보다 조금 더 멀리 떨어진 곳, 아마도 비행기로 몇 시간 거리의 공동체에 사는 사람들은 단지 그들을 도와줄 기반 시설이 없다는 이유만으로 도움을 받지 못하고 있다. 그보다 조금 더 멀리 떨어진 곳의 사람들은 잔인한 정부에 박해당하고 있다. 세상에는 고등학교에 진학할 수 없는 사람, 대학교는 꿈도 꾸지 못하는 사람들이 있다. 반면에 직장에서 좋은 주차 공간을 얻을 수 있는지에 집중하느라 주어진 시간을 제대로 보내지 못하는 사람들도 있다.

당신의 의무는 현재 상황에 매몰되지 않는 것이다. 이점, 추진력, 기회들을 가지고 있으면서 평범함에 안주하고 현재 상황을 옹호하고 기껏해야 사내 정치에 대해 걱정하는 것은 모든 면에서 낭비다.

소설가 플린 베리Flynn Berry는 '기회'라는 단어를 사용하면 안 된다고 말한다. 당신 앞에 놓인 기회는 사실상 기회가 아니라 '의무'이기 때문이다. 나는 당신에게 선택의 여지가 없다고 생각한다. 당신은 규칙을 바꿀 의무, 빗장을 들어 올려 치워버릴 의무, 그리고 다른 방식으로 일할 의무가 있다. 그리고 그 누구보다 더 잘해야 할 의무가 있다.

믿을 만한 것

나는 신뢰를 얻는 방법에 대해 자주 질문을 받는다. 사람들은 자신의 아이디어가 신뢰를 받을 수 있는 방법을 알고 싶어 한다. 특히 상사가 그 아이디어에 관심을 가지면 더욱 그렇다. 혹은 본인들의 책이나 블로그 포스팅에 적어놓은 아이디어에 대한 신뢰도를 높여 보는 사람들이 칭찬을 하게끔 만드는 방법을 알고 싶어 한다.

진정한 리더들은 이러한 일에 신경 쓰지 않는다.

당신의 미션이 당신의 믿음을 퍼뜨려 어떤 일이 일어나게끔 하는 것이라면, 당신은 자신이 칭찬받는지 받지 않는지 여부를 신경 쓰지 않아야 할 뿐만 아니라 당신을 따르는 사람들이 칭찬받기를 원해야 한다.

루비 온 레일즈* 같은 최첨단 소프트웨어를 사용하여 웹사이트를 만들고자 한다면, 자유롭게 그렇게 하라. 그 소프트웨어는 누구나 이용할 수 있다. 그것을 개발한 37명의 사람들을 칭찬할 필요도 없다. 그냥 그 소프트웨어를 사용하면 된다.

루비 온 레일즈의 개발자들은 이 프로그램을 통해 칭찬을 받거나 생계를 꾸리려 하지 않기 때문에 오픈소스로 프로그램을

---

* 프로그래밍 언어의 한 종류인 '루비'로 작성된 프레임워크의 일종.

풀어놓았다. 아무나 무료로 사용해도 하등의 문제가 되지 않는다. 무척이나 많은 사람들이 그 소프트웨어는 그들의 업적이라는 것을 알고, 그들을 찾고, 그들이 한 일에 대해 존경을 표한다. 루비 온 레일즈가 널리 퍼질수록 그들이 시작한 움직임은 더 멀리 퍼져나간다. 그리고 그것이 그들의 진정한 목표다.

사람들이 자신을 칭찬하지 않는다며 마틴 루서 킹이나 간디가 불평한 기록 같은 건 찾아볼 수 없다. 신뢰받는 건 요점이 아니기 때문이다. 변화가 요점이다.

큰 긍정BIG YES

렌 호로멕Rene Hromek은 '큰 긍정BIG YES'에 대한 글을 써서 나에게 보냈다(대문자는 의도된 것이다). '큰 긍정'과 '작은 부정little no'을 대조해보자.

작은 부정은 어디에서나 찾아볼 수 있고 피하기 어렵다. 사람들은 작은 부정이 안전하다고 느낀다. 마치 주변을 뱅뱅 도는 모기처럼 작은 부정은 집중을 방해하고 혼신의 힘을 기울이지 못하도록 방해한다. 어느 곳에든 수많은 작은 부정이 있다.

반면에 큰 긍정은 리더십과 위험을 이야기한다. 이는 대부분 지렛대에 관한 것이다. 오늘날 큰 긍정은 운이 좋게도 이를 갖고자 하는 모든 사람들이 이용할 수 있다.

상상력

알베르트 아인슈타인Albert Einstein의 유명한 말을 인용하겠다.

"지식보다 상상력이 더 중요하다."

리더는 이전에는 존재하지 않았던 것들을 만들어낸다.

리더는 아직 일어나지 않았지만 일어날 수 있는 일에 대한 비전을 제시한다.

지식이 없으면 관리할 수 없다.

상상력이 없으면 리더가 될 수 없다.

비전이 분명하다면
타협하지 마라

맷 그로닝Matt Groening이 영화 〈심슨가족The Simpsons Movie〉을 만들었을 때, 영화사의 간부들은 다수의 PPL을 영화에 포함시키도록 몰아붙였다. 그 PPL의 양은 예전에 제작된 그 어떤 영화보다도 많았다. 경영진은 맷을 설득하려 했다. 극단적인 PPL은 이익이 되는 동시에 관객들이 그 또한 우스갯거리로 받아들일 것이라는 게 골자였다.

만약 맷이 자신의 참호에 숨어 격렬히 저항하지 않았다면 영화는 분명 엉망이 되었을 것이다. 타협함으로써 프로젝트를 신속히 처리할 수도 있지만, 동시에 프로젝트를 완전히 망가뜨려 버릴 수도 있다.

신뢰하는 것,
신뢰하지 않는 것

사람들은 당신이 그들에게 하는 말을 신뢰하지 않는다.

사람들은 당신이 그들에게 보여주는 것을 거의 신뢰하지 않는다.

사람들은 그들의 친구들이 그들에게 하는 말을 신뢰한다.

사람들은 그들 스스로에게 하는 말을 항상 신뢰한다.

리더는 사람들이 서로에게 이야기할 수 있는 이야깃거리를 제공한다.

그 이야깃거리는 미래와 변화에 관한 것이다.

언제까지
준비만 할 것인가?

리더가 되는 기존의 장벽과 방법이 무너졌다. 어느 곳에든 부족이 있고 그중 많은 부족이 리더를 찾고 있다. 장벽이 무너졌는데 왜 지금 시작하지 않는가?

간단한 예를 들어보겠다. 예전에 책을 출판하고 싶다면 당신의 원고에 "이 정도면 괜찮네요. 만들어봅시다."라고 대답해줄 출판사를 찾아야 했다. 출판사가 없으면 책도 없었다.

지금은 혼자서 책을 출판할 수 있다. 룰루닷컴*을 방문하기만 하면 된다. 이 사이트에서는 자신의 글을 스스로 판단하면 된다. "좋아요, 출판합시다."라고 말해줄 사람도, 글이 안 좋으니 출판을 못해준다는 사람도 없다. 오직 스스로 자신의 글을 판단해 출판하기에 부족하다 여기면 '아직은 안 되겠군' 하고 말할 예비 작가들만 존재할 뿐이다. 오늘날의 리더십은 그런 것이다.

아무도 당신에게 리더 자격증을 발급해주지 않는다.
그냥 하면 된다.
거절할 수 있는 사람은 오직 당신뿐이다.

---

* 개인출판 및 배포를 돕는 플랫폼. 주소는 Lulu.com이다.

몇 분 동안만 다음을 생각해보자.

부족을 이끌기 위해 필요한 자원이 무엇인가? 더 많은 권력인가? 명문대 졸업장과 우수졸업 증명서가 필요한가? 혹은 돈이 필요한가? 대체 언제쯤 부족을 이끌기 위해 필요한 것을 충분히 얻을 수 있을까?

만약 누군가가 당신에게 연설을 하거나 선언문을 쓰거나 결정을 내리도록 2주의 기간을 주었다면, 그 시간은 충분한가? 혹시 2주가 충분하지 않다면 4주면 되겠는가? 12주면 되겠는가? 아니, 1,000주가 필요한가?

내 경험상, 리더들은 기다릴 필요가 없다. 그리고 기다리지도 않는다. 돈·권력·학점과 성공적인 리더십 사이에는 아무런 상관관계가 없다. 정말이다. 미국의 영웅으로 사랑받았던 정치인 존 맥케인John McCain의 미국 해군사관학교 성적은 밑에서 5등이었다. 하워드 슐츠Howard Schultz는 주방용품 세일즈맨이었고 그가 스타벅스로 이직할 당시 스타벅스는 지금의 커피제국이 아닌 원두 판매점이었다. 간디는 남아프리카의 변호사였다.

기다리는 것은 도움이 되지 않는다. 긍정적인 마음가짐으로 움직이면 반드시 보상이 돌아온다.

퀄리티가 필요없는 이유

'퀄리티'는 꼭 필요한 것이 아니다. 많은 품목의 경우 심지어 바람직하지도 않다.

어떤 아이템의 품질을 '측정된 사양에 부합하는 것'으로 정의한다면, 품질은 심장 박동 조절기와 같은 물건에 매우 중요한 사항이 된다. 반면 3000달러짜리 오트쿠튀르 드레스에는 전혀 중요하지 않은 문제가 되어버린다.

패셔너블해질수록 품질의 중요성은 감소한다.

완벽함은 현재 상태를 유지하기 위해 만들어진 환상에 불과하다.

6시그마Six Sigma*의 대부분은 변화를 피하는 것에 관해 이야기하는데, 6시그마의 입장에서 변화는 결코 완벽하지 않기 때문이다. 변화는 재발명을 의미하며, 무언가가 재발명이 완료되기 전에 그것이 완벽할지 미리 알 수 있는 길은 없다.

---

* 1987년 미국 모토로라 직원 마이클 해리가 창안한 품질경영 기법. 6시그마는 3.4ppm으로서, 100만 개의 제품 중 발생하는 불량품이 평균 3.4개임을 의미한다. 이는 제조뿐만 아니라 제품개발과 영업 등 기업 활동의 모든 분야에 적용되는 기법으로 유명하다.

야후와 땅콩버터 선언

IT업계의 중요 인물인 브래드 갈링하우스Brad Garlinghouse는 야후를 구했다(얼마 동안만이었지만, 어쨌든). 그는 그의 부족을 찾았다. 2006년에 브래드는 이단자처럼 행동했다. 그는 야후의 상사들에게 경영구조의 급격한 재편과 경영진 개편을 주장하는 내용의 메모를 보냈다. 훗날 '땅콩버터 선언The Peanut Butter Manifesto'이라는 이름으로 알려지는 이 메모의 요점은 다음과 같다.

"야후의 문제는, 자원을 마치 빵에 바른 땅콩버터처럼 모든 사업부문에 공평하고 얇게 배분하고 있다는 것이다. 이로 인해 아무 것도 집중할 수 없었다. 야후는 일부 분야에 사업의 초점을 두고 보다 많은 투자를 하고, 중요하지 않은 사업은 도태시켜야 한다."

회사의 응집력 부족을 비판한 이 대담한 메모는 회사의 종교를 뒤집어놓았다. 그 메모의 목적은 그와 함께 회사를 운영하던 작은 부족을 선동하는 것이었다.

그리고 메모가 유출되는 일이 벌어졌다. 그 메모는 월스트리트 저널에 실렸고 인터넷 전역에 걸쳐 퍼져 나갔다. 그 결과 브래드는 유명세를 타는 것을 넘어 야후에서 중요한 고위 간부가 되었다.

풍선공장의 사람들이 브래드에게 일어난 사건과 맞닥뜨린다면 뭐라고 했을까? 브래드에게 경고하지 못해 안달이 났을 것이다. "조심해! 안 그러면 너는 곤경에 처할 거야."

이후 어떻게 되었을까? 브래드의 메모는 당시 CEO였던 테리 세멜Terry Semel의 해고를 시작으로 야후에 큰 변화를 불러온 일련의 사건들을 야기했다. 또한 브래드에게 훨씬 더 크고 중요한 일들이 일어나도록 했다.*

---

* 야후를 떠난 후, 그는 땅콩버터 선언에서 언급한 이야기는 사실 더 깊은 문제에 대한 증상일 뿐인데 이를 그때 미처 포착하지 못했다고 썼다. 그는 야후의 진짜 문제를 열의 부족으로 진단했다. 열의가 부족한 임원진들이 변화와 혁신을 장려하지 않고 그저 현상 유지를 목표로 관리만 한다는 것이다.

과감하게 행동해서
잃는 것은 무엇일까?

브래드가 메모를 밖으로 유출해 소동을 일으킨 건 아니었지만 그는 상사들과 솔직한 의견을 나눌 수 있는 대담함을 갖고 있었다.

브래드가 메모를 작성했던 2006년으로 가보자. 그 메모를 작성하고 상사들에게 돌림으로써 브래드에게 일어날 최악의 상황은 무엇이었을까? 해고된 후 더 좋은 직업을 갖는 것이었다. 당시 그에게 기회를 주었을 다른 수십 혹은 수백 군데의 '더 나은' 회사들이 즐비했기 때문이다. 그리고 그 메모가 통했으면(그리고 정말 통했다!) 그는 일하기 더 나은 환경을 갖추고, 야후의 주주들뿐만 아니라 자신의 경력을 위해 옳은 일을 할 수 있었다.

브래드는 신뢰를 얻고 끊임없이 노력하며 자신의 일을 해낸 후 그 메모를 작성했다. 그럼으로써 브래드는 잃은 것이 전혀 없었다. 물론 의심할 여지없이 힘들었지만 할 만한 가치가 있는 일이었다.

당신은 무엇을 기다리는가?

동물 안락사 없는 세상을 위하여

동물 보호가인 네이선 위노그라드 Nathan Winograd는 권한도 없었고, 어떠한 책임을 질 자리에 있지도 않았다. 그럼에도 불구하고 보호소와 지역을 옮겨 다니며 수백만 마리의 개와 고양이들이 보호받는 방식을 바꾸었다. 법을 바꾼 것도 아니었고 누군가에게 명령을 한 것도 아니었다. 그저 부족을 이끌었을 뿐이었다.

매년 입양되지 못한 약 4~500만 마리의 건강한 개와 고양이들이 미국의 보호소에서 안락사를 당했다. 몇몇 보호소에서는 90퍼센트 정도의 동물이 안락사를 당했다. 네이선은 이 사실을 참을 수 없었고 많은 사람들 역시 같은 의견이었다. 그러나 안락사를 당하는 많은 동물들을 모두 입양시킬 만한 뾰족한 방법이 없는 것 또한 사실이었다. 특히 늙거나 예쁘지 않은 고양이와 강아지를 입양하려는 사람은 드물다. 이 동물들은 다 어디로 가야 하는가? 동물보호단체의 간부들은 방법을 찾지 못하고 있었다.

이 이야기는 리처드 아반치노 Richard Avanzino에서부터 시작된다. 그는 위노그라드의 멘토이자, 위노그라드보다 앞서 부족을 이끄는 열정적인 동물보호가였다. 그는 보호소에서 캠페인을 시작하며 부족을 이끌게 되었다. 아반치노는 부족원에게 비전을 가지고 해낼 수 있다는 것과 현재 상황에 머물러 있을 필요가 없다는 메시지를 던졌다.

아반치노는 지금은 상식으로 통하지만 당시에는 논란의 여지가 있었던 프로그램을 실행했다. 그가 이끌었던 샌프란시스코 SPCA The San Francisco Society for the Prevention of Cruelty to Animals 는 유기동물 위탁 가정 프로그램을 운영했다. 그들은 위탁을 보내기 전에 동물들에게 중성화 수술을 실시했다. 그 결과 위탁 가정에 맡겨진 많은 강아지들은 보호소로 돌아오지 않고 그대로 그 가정에 입양되었다. 또한 아반치노와 샌프란시스코 SPCA는 가만히 앉아 마음씨 좋은 가족들이 나타나길 기다리지 않았다. 강아지를 가득 태운 차를 몰고 임시보호 혹은 입양할 가족을 찾기 위해 직접 거리로 나섰다.

유기동물단체 컨퍼런스에서 아반치노가 자신과 샌프란시스코 SPCA가 이루어낸 일들을 발표하자 몇몇은 일어나서 회의실을 걸어 나갔다. 그들의 행동은 현재 상황을 대변하는 것이었고, 이들은 변화할 준비가 되어 있지 않았다.

아반치노의 다음 단계는 더욱 특별했다. 아반치노와 샌프란시스코 SPCA는 길 위의 동물들을 잡아서 안락사하는 일을 더 이상 하지 않기로 결정했다. 이러한 자신의 비전을 공유하지 않는 모든 직원에게 새로운 직업을 찾도록 격려하고 도왔다. 그는 새로운 부족을 키웠고, 새로운 태도를 가진 새로운 사람들을 찾아 그들을 부족원으로 만들고 이끌었다.

몇 년 후, 그의 신생 조직은 흑자를 냈다. 이를 바탕으로 아반치노는 샌프란시스코에 있는 보호소들이 건강한 동물들을 죽이는 대신 SPCA로 동물들을 이송하는 법안을 통과시키려고 했다. 다음에 일어난 일은 놀랍지만 사실이다. 유명한 인도적 단체들과 채식주의 단체들이 이 법에 반대하기 위해 청문회에 나왔다. 그들은 그것이 불가능하다고 말했다. 만약 사람들 사이에 반려동물이 안락사당하는 대신 입양될 것이라는 생각이 퍼지면 더 쉽게 동물들을 버릴 것이라는 이유 때문이었다.

그렇다면 아반치노는 어떻게 그 법을 통과시켰을까? 수만 마리의 작은 동물들을 구하기 위한 그의 노력은 어떻게 성공했을까? 간단하다. 그의 새 부족이 해냈다. 사람들이 해냈다. 아반치노는 자신의 이야기를 듣고 싶어 하고, 따르고 싶어 하고, 동참하고자 하는 대규모 집단을 발견했다.

이 이야기는 위노그라드에 의해 이어진다. 아반치노가 샌프란시스코를 떠난 후 SPCA는 자신감을 잃기 시작했다. 리더십이 힘을 잃어갔다. 그들은 유기동물 중성화 프로그램을 중단하고 이윤만을 추구하기 시작했다. 이에 혐오감을 느낀 위노그라드는 샌프란시스코 SPCA를 떠나갔다.

그는 결국 뉴욕주 시골에 있는 톰킨스 카운티의 SPCA에 가게 되었다. 그곳에는 적은 예산, 갚아야 할 빚, 낡아빠진 시설, 그리고 예전 방식으로 일하는 직원들만이 있었다. 그곳에서 그는 그저 유기견 사냥꾼일 뿐이었다.

위노그라드는 변화를 만들기 위해 당신이 이 책에서 읽은 단계들을 따랐다. 그는 타협하지 않았다. 일을 시작한 첫날부터 그는 자신이 담당하는 동물들의 안락사를 거부했다. 그는 참모들과 명확하고 분명하게 대화하였으며 몇 달 안에 직원의 절반, 즉 위노그라드 부족에 참여하기를 거부하는 직원들이 떠났다.

위노그라드는 부족원이 없으면 리더도 없다는 것을 알고 있었다. 그래서 그는 그의 이야기를 듣고 싶어 하고 따르고 싶어 하는 대중에게 직접 다가갔다. 1년 동안 그와 톰킨스 카운티 SPCA 이야기를 다룬 400건이 넘는 언론 기사가 나왔다. 기부가 쇄도하고 봉사자들이 나타났다(200명이 돌아가며 2만 시간을 봉사했다). 평균적으로 보호동물의 10~20%가 입양되는 보호소 산업에서, 톰킨스 카운티의 SPCA는 보호 중인 85% 이상의 동물들을 정기적으로 입양 보내는 데 성공했다(매우 아프거나 공격적인 동물들을 제외한 수치).

이 모든 일은 요행이 아니었다. 위노그라드는 버지니아주 샬로츠빌에서 다시 같은 일을 했다. 그는 자신이 부족을 세운 뒤, 네바다주 리노로 가서 한 번 더 같은 일을 했다. 매번 예산도 권력도 없이 그저 리더십만으로 일구어냈다.

이 이야기를 들으면 무언가가 머릿속에 떠오른다. 첫째, 우리의 등 뒤에서 수백만 마리의 개와 고양이들이 안락사를 당하는 것에 대한 격분이다. 둘째, 큰 차이를 만들어낸 사람의 자부심이다. 그리고 셋째, 위노그라드가 밑바닥에서부터 변화를 만들어낼 수 있다면 나 역시 그렇게 할 수 있다는 깨달음이다.

세상의 부족들은 단지 연합되고 이끌리기만을 기다리고 있다. 그들에게 필요한 것은 옳은 일을 하기를 열망하는 헌신적인 리더뿐이다.

위노그라드의 이야기는 감동적이다. 현 상황에 맞서 싸울 능력이 없는 동물들을 위해 변화를 만들고자 자신을 몰아붙이는 모습, 미래를 보고 현실로 만드는 능력은 감동할 만하다. 그리고 무엇보다도 한 부족을 조직하고 움직임으로써 동물보호와 관련된 모든 사람이 나서서 그 일을 하도록 하는 그의 능력이 감동적이다.

리더의 공통점

리더의 모습은 어떠한가?

나는 전 세계를 돌며 각 대륙에서 다양한 직업의 리더들을 만났다. 그들의 연령대는 다양했고 이끄는 부족의 규모 역시 제각각이었다.

그렇게 많은 리더들을 만나고 내가 내린 결론은 다음과 같다. 리더들에게는 공통점이 없다. 앞에서도 이야기했듯이, 이들은 성별, 소득 수준, 그리고 지리학적인 면에서도 공통점이 없다. 공통된 유전자도 없다. 교육수준도 혈통도 직업도 제각각이다.

리더는 태어나지 않는다. 나는 이 사실을 강하게 확신한다.

그러나 사실 그들은 한 가지 공통점을 가지고 있었다.

내가 만난 모든 리더는 스스로 이끌기로 결심한 사람들이다.

지금 여기서 정확히
무엇을 해야 하는가?

당신은 이 책의 끝에 도착했다. 여기까지 왔는데, 대체 부족을 찾고 이끌기 위한 체크리스트나 하우투리스트 혹은 '바보들을 위한 지침서 For Dummies'[●]는 어디에 있는지 궁금한가?

이게 바로 포인트다.

당신이 이 책의 내용을 다른 사람에게 이야기하면 비난받을 수 있다. 사람들은 이 책의 내용이 너무 체계적이지 않거나 실무에 바로 적용할 만큼 실용적이지 않다고 말할 수도 있다. 무언가를 성취하기 위해 독자에게 너무 많은 일을 하라고 요구하는 것 아니냐고 비판할 수도 있다. 하지만 괜찮다. 사실 비판은 거의 항상 변화를 동반한다.

모든 부족은 다르다. 모든 리더 역시 다르다. 리더십의 본질은 예전 방식으로 일을 하지 않는다는 것이다. 만약 당신이 예전 방식으로 일을 하고 있다면 당신은 앞서가는 게 아니라 따라가는 것이다.

● 배경 지식이 없는 초보자를 위한 지침서 시리즈. 컴퓨터 프로그램부터 인문학까지 다양한 분야를 다룬다.

내가 바라는 단 한 가지는 당신이 선택하는 행위이다. 내가 만난 모든 리더는 선택을 했고, 그들은 그 선택을 확신했다.

당신은 이끌지 말지 선택할 수 있다. 믿음을 가질지 말지 선택할 수 있다. 부족에 기여할지 말지 선택할 수 있다.

당신이 리더가 될 적임자가 아닌 이유가 수천 가지 정도 되는가? 혹시 리더가 되기 위한 자원이나 권위나 유전자나 추진력이 부족한가? 그런데 그것들이 큰 문제가 되는가? 그게 어떻단 말인가? 당신은 여전히 리더가 되기로 선택할 수 있다.

일단 결정하면, 그 선택을 재고하거나, 타협하거나, 단순화하거나, 포기해야 한다는 엄청난 압력을 받게 될 것이다. 당신이 조용히 따르도록 하는 것이 세상의 일이고 그 덕에 현재 상황이 유지된다.

하지만 일단 당신이 이끌기로 결정하면 그 일이 그렇게 어렵지 않음을 알게 될 것이다. 당신이 할 수 있는 것들이 분명히 보일 것이고, 결국 목표에 도달할 수 있다.

가라! 직진하라!

마지막 한 가지

당신에게 부탁 하나를 하려고 한다.

만약 당신이 이 책에서 얻은 것이 있는가? 밑줄을 긋거나 동그라미를 치거나 포스트잇을 붙였는가?

그렇다면 나를 위해 다음의 일을 해줬으면 한다.

다른 사람과 이 책을 공유하라.

그들에게 이 책을 읽기를 권유하라.

그들이 리더십을 갖추기 위한 결정을 내리도록 청하라.

우리는 더 많은 리더가 필요하고, 무엇보다도 리더인 당신이 필요하다.

말을 퍼트려라.

고맙다.

"나는 내가 어디로 가고 있는지 모르겠다.
그러니 내가 이끌어야겠다!"

– 엠마뉴엘 헤이먼Emmanuelle Heyman

감사의 글
고마운 분들,
그리고 내 부족 이야기

나는 코리 닥터로우Cory Doctorow의 엄청난 팬이다. 그의 책《동부 표준 부족Eastern Standard Tribe》을 읽었는데, 그때부터 부족에 대한 생각이 내 안에서 떠나가지 않았다.

2007년 말, 내가 설립한 회사인 스퀴두의 최고운영책임자였던 코리 브라운Corey Brown도 내게 부족에 대해 이야기하기 시작했다. 그는 스퀴두에 글을 쓰는 사람들이 온라인에서 그들의 부족을 쉽게 찾고 조직화하기 위한 아이디어를 추진하고 있었다.

세계에서 가장 인기 있고 창의적인 경제경영 분야 만화가인 휴 맥클레오드Hugh MacLeod는 "믿을 만한 것을 위한 시장은 무한하다."라는 자막과 함께 그의 가장 인기 있는 만화를 그렸다. 그 만화를 보자마자 나는 내 안의 아이디어와 욕구를 깨달았다. 나는 부족에 대한 책을 쓰고 싶었다.

죽어가는 음악 산업에 대해 말하고 쓰면서 나는 처음으로 부족에 관한 블로그를 운영하기 시작했다. 6주 후에 매거진《와이어드》의 설립 편집자인 케빈 켈리가 '진정한 팬True Fan'이라고 부르는 글을 썼고 나는 이 책에 그 글을 인용했다. 그 글에는 부족과 그들의 힘에 대한 중요한 생각들이 담겨 있다.

멈추지 않는 블로거인 로버트 스코블Robert Scoble은 수많은 부족의 리더들을 인터뷰해서 나에게 쓸거리를 제공했다. 그는 자신이 내게 해준 일들을 모르고 있을 것이다.

《모든 사람이 온다Here comes everybody》를 쓴 클레이 셔키Clay Shirky에게 찬사를 보낸다. 이 책은 당신에게 온라인 부족이 무엇인지 효율적으로 알려줄 것이다.

2008년 2월 말, 나는 운이 좋게도 애덤 고프닉Adam Gopnik이 《뉴요커New Yorker》에 기고한 전 세계적으로 장수한 마술사들로 이루어진 부족을 다루는 글을 읽었다. 그 글에 등장하는 제이미이안 스위스는 이 책에서 말하는 리더십을 구현한다.

그리고 몇 주가 지난 3월, 내가 이 책을 다 썼을 때쯤 내 편집자는 데이브 로건Dave Logan, 존 킹John King, 그리고 할리 피셔 Halee Fischer의 책 《부족 리더십Tribal Leadership》을 언급했다. 훌륭한 제목의 책이다. 다만 그 책은 《트라이브즈》와 겹치는 부분이 거의 없다. 기회가 된다면 그 책도 읽어보기를 권한다.

나는 메건, 코리, 길, 앤, 킴벌리, 블레이크, 그리고 또 다른 앤이 이끄는 스퀴두에서 자주적으로 회사를 이끌어가는 25만 명의 노동자 부족과 함께 일하는 특권을 누렸다. 리더십이 어떻게 발휘되고 부족이 어떻게 돌아가는지 보여줘서 고맙다.

내 삶에는 말이 아닌 행동으로 나에게 가르침을 주는 영웅들이 있다. 재클린 노보그라츠는 매일 세상을 더 좋은 방향으로 바꾼다. 그리고 그녀는 그녀의 노력과 열정과 사랑을 쏟아부어 좋은 부족을 이끌고 있다. 그녀는 리더십이 무엇인지를 보여준다. 나는 조금이라도 그녀를 닮고 싶다. 나의 아버지 빌 고딘은 그의 지역사회를 풍요롭게 하기 위해 지치지 않는 열정을 품고 일한다. 아버지는 스스로 모범을 보임으로써 나와 많은 사람들에게 무언의 메시지를 던진다.

내게 영감을 주고 인내를 가르쳐준 헤이먼 부족 전체, 나를 '보랏빛 소'로 만들어준 메건 케이시Megan Casey, 리사, 윌, 애드리안, 마크, 코트니, 앨리슨에게 감사한다. 물론 린 고든Lynn Gordon, 리사 갠스키Lisa Gansky에게도 감사의 말을 전한다. 그리고 내가 놓치는 것이 없도록 도와준 캐서린 올리버Catherine E. Oliver에게도 감사를 표한다.

마지막으로, 늘 그렇듯 헬렌에게 감사를 전한다. 내가 그녀의 부족원이어서 행복하다.

Tribes
트라이브즈

초판 1쇄 인쇄 2020년 1월 29일
초판 1쇄 발행 2020년 2월 4일

글쓴이 | 세스 고딘
옮긴이 | 유하늘
펴낸이 | 金滇珉
펴낸곳 | 북로그컴퍼니
편집부 | 김옥자·김현영·김나정
디자인 | 김승은·송지애
마케팅 | 김정호
경영기획 | 김형곤
주소 | 서울시 마포구 월드컵북로1길 60(서교동), 5층
전화 | 02-738-0214
팩스 | 02-738-1030
등록 | 제2010-000174호

ISBN 979-11-90224-31-4 03320

· 원고투고: blc2009@hanmail.net
· 잘못된 책은 구입하신 서점에서 바꿔드립니다.
· 이 도서의 국립중앙도서관 출판예정도서목록(CIP)은 서지정보유통지원시스템 홈페이지
  (http://seoji.nl.go.kr)와 국가자료공동목록시스템(http://www.nl.go.kr/kolisnet)에서
  이용하실 수 있습니다.(CIP제어번호:CIP2020001290)

· 시목始木은 북로그컴퍼니의 인문·경제경영 브랜드입니다.
지혜의 숲을 가꾸기 위한 첫 나무가 되도록 한 권 한 권 정성껏 만들겠습니다.